講談社文庫

回転木馬のデッド・ヒート

村上春樹

講談社

目次

回転木馬のデッド・ヒート

はじめに・回転木馬のデッド・ヒート

ここに収められた文章を小説と呼ぶことについて、僕にはいささかの抵抗がある。もっとはっきり言えば、これは正確な意味での小説ではない。

僕が小説を書こうとするとき、僕はあらゆる現実的なマテリアル——そういうものがもしあればということだが——を大きな鍋にいっしょくたに放りこんで原形が認められなくなるまでに溶解し、しかるのちにそれを適当なかたちにちぎって使用する。小説というのは多かれ少なかれそういうものである。リアリティーというのもそういうものである。パン屋のリアリティーはパンの中に存在するのであって、小麦粉の中にあるわけではない。

しかしここに収められた文章は原則的に事実に即している。僕は多くの人々から様々な話を聞き、それを文章にした。もちろん僕は当人に迷惑が及ばないように細部をいろいろといじったから、まったくの事実とはいかないけれど、それでも話の大筋は事実である。

話を面白くするために誇張したところもないし、つけ加えたものもない。僕は聞いたままの話を、なるべくその雰囲気を壊さないように文章にうつしかえたつもりである。

僕はこのような一連の文章を——仮りにスケッチと呼ぶことにしよう——最初のうちは長編にとりかかるためのウォーミング・アップのつもりで書きはじめた。事実をなるべく事実のまま書きとめるという作業は何かしらあとになって役立つことのようにふと思えたからである。だから最初のうち、僕はこれらのスケッチを活字にしようというつもりはまったくなかった。これらは気まぐれに書いては書斎の机の中に放りこんである他の無数の断片的文章と同じ運命を辿る予定であった。

しかし三つ四つと書き進んでいるうちに、僕にはそれらの話のひとつひとつがある共通項を有しているように感じられてきた。それらは「話してもらいたがっている」のである。それは僕にとっては奇妙な体験だった。

たとえば僕が小説を書くとき、僕は自分のスタイルや小説の展開に沿って、ごく無意識のうちに材料となる断片を選びとっている。しかし僕の小説と僕の現実生活は隅から隅までぴたりと合致しているわけではないから（そんなことを言えば、僕自身と僕の現実生活だってぴたりと合致してはいないのだ）、どうしても僕の中に小説には使いきれないおりのようなものがたまってくる。僕がスケッチに使っていたのは、そのおりのようなものだったのだ。そしてそのおりは僕の意識の底で、何かしらの形を借りて語られる機会が来るのをじっと待ちつづけていたのである。

　このような様々な種類のおりをためこむことになった原因のひとつには、僕が他人の話を聞くことが好きだということがあると思う。正直に言って、僕は自分の話をするよりは他人の話を聞く方がずっと好きである。それに加えて、僕には他人の話の中に面白味を見出す才能があるのではないかという気がすることがある。事実、大抵の人の話は僕自身の話よりずっと面白く感じられる。それも特殊な人の特殊な話よりは平凡な人の平凡な話の方がずっと面白い。

　このような能力——他人の話を面白く聞ける能力——というのは具体的に何かの役に立つというわけではない。僕はこの何年か小説を書いているけれど、小説家としてさえこういう能力が何かの役に立ったという経験は一度もない。何度かはあるのかもしれないけれど、少なくとも思い出せない。他人がしゃべり、僕が傾聴し、その話が僕の中にたまっていくだけである。

　もしそのような能力が僕の小説家としての特質にいささかなりとも寄与しているとすれば、それはある種の我慢強さを身につけることができたということくらいではないかと僕は思う。面白味というものは、我慢強さというフィルターをとおしてはじめて表出してくるものであろうと僕は考えているし、小説の文章というものの多くはそのような位相の上に成立している。面白味というものは蛇口をひねってコップに注ぎ、はいどうぞとさしだせるような種類のものではないのだ。あるときにはそれは雨乞いの踊りをさえ必要とする。しかしそれはこの文章の趣旨とは関係のないことだ。文脈をもとに戻そう。

人々の話の多くは使いみちのないまま僕の中につもる。それはどこにもいかない。夜の雪のように、ただ静かにつもっていくのだ。これは他人の話を聞くことを好む人々の多くに共通する苦しみである。カソリックの教誨師は人々の告白を天上という大組織にひきわたすことができるが、我々にはそのような便利な相手もいない。自分自身の中に抱えこんで生きていくしか道がないのである。

カーソン・マッカラーズの小説の中にもの静かな唖の青年が登場する。彼は誰が何を話しても親切に耳を傾け、あるときは同情し、あるときはともに喜ぶ。人々はひき寄せられるように彼のまわりに集まり、様々な告白や打ち明け話をする。しかし最後に青年は自らの命を絶つ。そして人々は自分たちがあらゆるものを彼に押しつけ、誰一人として彼の気持を汲んでやらなかったことに思いあたるのだ。

とはいってももちろん僕は自分の姿をその唖の青年にオーバーラップさせているわけではない。僕だって誰かに自分の話をすることはあるし、それに文章だって書いている。しかしそれにもかかわらず、おりというものは体の中に確実にたまっていくものなのである。僕が言いたいのはそういうことだ。

　だからこそ僕が小説という形態を一時的に放棄したとき、ごく自然にこのような一連のマテリアルが僕の意識の水面に浮かびあがってきたということになるのだろう。僕にとってはこれらのスケッチのマテリアルは身よりのない孤児たちのように感じられる。彼らはどの小説にもどの文章にも組みこまれることなく、僕の中でじっと眠りつづけてきたのだ。そう思うと、僕はなんとなく居心地の悪い気分になってしまう。

　しかしそのようなマテリアルを文章にして、それで僕がいささかなりとも楽な気分になれるかというと、そんなことはない。これだけは僕自身のささやかな名誉のためにも断っておかなくてはならないだろう。僕は僕自身が楽になるためにこのようなスケッチを書き、世間に対して公表しているわけではない。はじめにも言ったように、彼らは語られたがっていたのだ。そして僕はそれを感じたのだ。僕自身の精神が解放されるかどうかというのはそれとはまるで別の問題だし、少なくとも今のところこのような文章を書くことによって僕の精神が解放されたという徴候はまったく見えない。

　自己表現が精神の解放に寄与するという考えは迷信であり、好意的に言うとしても神話である。少なくとも文章による自己表現は誰の精神をも解放しない。もしそのような目的のために自己表現を志している方がおられるとしたら、それは止めた方がいい。自己表現は精神を細分化するだけであり、それはどこにも到達しない。もし何かに到達したような気分になったとすれば、それは錯覚である。人は書かずにいられないから書くのだ。書くこと自体には効用もないし、それに付随する救いもない。

そんなわけでおりはあいかわらずおりのままで僕の中に残っている。僕はいつかそれをまったく別の形に変えて新しい小説の中に組みこめるかもしれない。組みこめないかもしれない。もし組みこめなければ、それらのおりは僕の中に封じこめられたまま闇の中に消え去っていくことだろう。

今のところ僕にはそんなおりをこのような形のスケッチにまとめるしか手はなかった。これが本当に正しい作業であったのかどうかは僕にもよくわからない。本当の小説を書くべきじゃなかったのかと言われれば、僕には肩をすくめるしかない。そして「あらゆる行為は善だ」というある殺人犯の主張を引用するしかない。僕にとってはこのようなマテリアルをこのようなスタイルでまとめあげる以外にとるべき方法はなかったのだ。

僕がここに収められた文章を〈スケッチ〉と呼ぶのは、それが小説でもノン・フィクションでもないからである。マテリアルはあくまでも事実であり、ヴィークル（いれもの）はあくまでも小説である。もしそれぞれの話の中に何か奇妙な点や不自然な点があるとしたら、それは事実だからである。読みとおすのにそれほどの我慢が必要なかったとすれば、それは小説だからである。

他人の話を聞けば聞くほど、そしてその話をとおして人々の生をかいま見れば見るほど、我々はある種の無力感に捉われていくことになる。おりとはその無力感のことである。我々はどこにも行けないというのがこの無力感の本質だ。我々は我々自身をはめこむことのできる我々の人生という運行システムを所有しているが、そのシステムは同時にまた我々自身をも規定している。それはメリー・ゴーラウンドによく似ている。それは定まった場所を定まった速度で巡回しているだけのことなのだ。どこにも行かないし、降りることも乗りかえることもできない。誰をも抜かないし、誰にも抜かれない。しかしそれでも我々はそんな回転木馬の上で仮想の敵に向けて熾烈なデッド・ヒートをくりひろげているように見える。

事実というものがある場合に奇妙にそして不自然に映るのは、あるいはそのせいかもしれない。我々が意志と称するある種の内在的な力の圧倒的に多くの部分は、その発生と同時に失われてしまっているのに、我々はそれを認めることができず、その空白が我々の人生の様々な位相に奇妙で不自然な歪みをもたらすのだ。

少なくとも僕はそう考えている。

レーダーホーゼン

僕がこの本に収められた一連のスケッチのようなものを書こうと思いたったのは、何年か前の夏のことだった。そのときまで僕はこのような種類の文章を書きたいと思ったことは一度もなかったし、もし彼女が僕にその話をしてくれなかったら——そしてこういう話は小説の題材として成立し得るものなのかどうかと質問しなかったとしたら——僕はあるいはこの本を書いていなかったかもしれない。そういう意味ではマッチを擦ってくれたのは彼女だったということになる。

しかし彼女がマッチを擦ってから、その火が僕の体に燃えうつるまでにかなり長い時間がかかった。僕の体についている導火線のうちのある種のものはひどく距離が長いのだ。ときにはそれはあまりにも長すぎて、僕自身の行動規範や感情の平均的な寿命さえをも超えてしまうことがある。そうなるとその火がやっと体に届いても、もはやそこには何の意味も見出せないということも起り得るわけである。でもこの場合、発火はなんとかその制限時間の中におさまり、結果的に僕はこの文章を書くことになった。

その話を僕にしてくれたのは妻のかつての同級生だった。彼女と僕の妻とは学校時代はとくに親しいというわけではなかったのだが、三十を過ぎてからふとしたところでばったりと顔を合わせ、それがきっかけになって、以来かなり親しく往き来するようになったのだ。僕はときどき妻の友人くらい夫にとって奇妙な存在はないような気がするのだが、それでも彼女には最初に会ったときからある種の好感を抱くことができた。彼女は女性にしてはかなり大柄な方で、背丈も体つきも僕と殆んど同じくらいのものだった。職業はエレクトーンの教師だったが、仕事以外の時間の大半を水泳やテニスやスキーに割いていたので、筋肉は固くしまり、いつもきれいに日焼けしていた。彼女の各種のスポーツに対する姿勢はマニアックと表現してもいいくらいに情熱的なものだった。休日になると彼女は朝のランニングを済ませてから近所の温水プールでひと泳ぎし、午後には二、三時間テニスをし、それからエアロビックスまでやった。僕もスポーツは結構好きな方だけれど、質をとっても量をとっても、とても彼女にはかなわなかった。

しかしマニアックとはいっても決して彼女が様々な物事に対して病的であったり偏狭で

あったり攻撃的であったりするというわけではなかった。逆に彼女は基本的には穏やかな性格で、感情的に他人に何かを押しつけたりすることもなかった。ただ単に彼女の肉体が（そしておそらくはその肉体に付随した精神が）ほうき星の如く間断のない激しい運動を希求しているだけだった。

そのせいかどうかはわからないけれど、彼女は独身だった。もちろん——というのは多少大づくりではあるにせよまずまずの美人だったから——何度か恋愛もしたし、結婚を申しこまれたこともあったし、彼女自身もその気になったこともあった。しかしいざ結婚という段になると、そこに必ず何かしらの思いも寄らない障害が生じて、その話は立ち消えになってしまうのが常だった。

「運が悪いのよ」と妻は言った。

「そうだね」と僕も同意した。

しかし僕は全面的に妻の意見に同意したわけではなかった。たしかに人生のある種の部分は運というものに支配されているかもしれない。そしてそれはまだらになった影のように我々の人生の地表を暗く染めているかもしれない。しかしそれでももしそこに意志というものが存在するなら——そしてそれが二十キロを走り、三キロを泳ぐことのできるほどの強固な意志であるならば——大抵のトラブルは便宜的な梯子のようなものを使って解決することができるはずだと僕は思った。彼女が結婚できないのはそうすることを彼女が心からは望んではいないからであろうと僕は想像した。要するに結婚というものが彼女のエネルギーのほうき星の範囲内に、少なくとも全的には含まれていないのだ。

そんなわけで彼女はエレクトーンの教師をつづけ、暇さえあればスポーツに励み、定期的に不運な恋愛をした。

大学二年生のときに両親が離婚して以来、彼女はアパートを借りてずっと一人暮しをつづけていた。

「母が父親を捨てたのよ」とある日彼女は僕に教えてくれた。「半ズボンのことが原因でね」

「半ズボン？」と僕はびっくりしてききかえした。

「変な話なのよ」と彼女は言った。「あまりにも突拍子もない話で、他の人にあまり話したこともないんだけど、あなたは小説書いてるから何かの役に立つんじゃないかしら。聞きたい？」

是非聞かせてほしい、と僕はいった。

その雨の日曜日の午後に彼女が僕の家を訪ねてきたとき、妻は買物に外出していた。彼女は約束の時間より二時間も早くやってきたのだ。

「ごめんなさい」と彼女は謝った。「テニスの予定が雨で流れちゃって、それで時間が余っちゃったの。家で一人でいても退屈だったんで早い目にうかがおうと思ったんだけど、お邪魔じゃなかった?」

べつに邪魔なんかじゃない、と僕はいった。僕も仕事をする気が起きなくて、猫を膝に抱いて一人でぼんやりとヴィデオの映画を観ているところだったのだ。僕は彼女を家にあげ、台所でコーヒーを作って出した。そして二人でコーヒーを飲みながら「ジョーズ」の最後の二十分ばかりを観た。もっとも二人ともその映画を以前に何度か観ていたから、とくに熱心に鑑賞したというわけではない。とりあえず何か観るものが必要だったのでそれを観ていたというだけのことだ。

しかし映画のエンド・マークが出てしまっても妻は戻ってはこなかったので、僕は彼女としばらく世間話をすることになった。我々は鮫の話をし、海の話をし、泳ぎの話をした。それでもまだ妻は戻ってはこなかった。僕は前にも述べたように彼女に対して決して悪い印象は持っていなかったけれど、それでも二人で顔をつきあわせて一時間会話をするには我々のあいだには共有する事項が明らかに不足していた。要するに彼女は僕の妻の友人であって、僕の友人ではないのだ。

しかし僕が手持無沙汰になってそろそろ次の映画でも観ようかと考えているところに、

彼女が突然両親の離婚の話を始めた。どうして彼女が何の脈絡もなく（水泳の話と両親の離婚の話とのあいだに少なくとも僕は明確な脈絡を見出すことはできそうにない）そのような話題を持ちだしたのかはよくわからない。おそらくそこには何らかの理由があるのだろう。

「半ズボンというのは正確な呼び方じゃないの」と彼女はつづけた。「正確にはレーダーホーゼン。レーダーホーゼンって知ってる？」

「ドイツ人がよくはいている半ズボンのことだろう？　上に吊り紐がついたやつ」と僕は言った。

「そう。父親がそれをおみやげにほしがったの。そのレーダーホーゼンをね。うちの父親はその年代の人にしてはかなり背が高い方で、そういう半ズボンのようなものが割に良く似合う体型だったの。だからそんなものをほしがったのね。私はレーダーホーゼンはあまり日本人には似合わないものだと思うんだけれど、まあそれは人すきずきだから」

話をすっきりさせるために、僕は彼女の父親がどのような状況で誰にレーダーホーゼンをおみやげに買ってきてくれるように頼んだのかと質問した。

「ごめんなさい、私はいつも話の順序が逆になっちゃうのよ。だから何かわからないところがあったら遠慮せずに質問してね」と彼女は言った。

そうする、と僕は言った。

「母親の妹がその頃ドイツに住んでいて、遊びに来ないかと母親を誘ったの。母はドイツ語はまったくできないし、外国旅行の経験もないんだけど、長く英語の教師をしていたから一度外国に行ってみたいという気はあったのね。それにずいぶん長いあいだその叔母さんにも会っていなかったし。それで父親に十日ばかり休暇をとって二人でドイツに行ってみないかと持ちかけたんだけど、父親は仕事の関係でどうしても休みがとれなくて、それで母が一人でドイツに行くことになったわけ」

「そのときにお父さんがレーダーホーゼンをおみやげに頼んだんだね？」

「ええ、そうなの」と彼女は言った。「母がおみやげに何がほしいかと訊ねると、レーダーホーゼンがほしいと父が答えたの」

「なるほど」と僕は言った。

彼女の言によれば、その頃彼女の両親の仲は比較的親密であった。少なくとも大きな声で夜中に口論をしたり父親が腹を立てて何日か家に帰らなかったり、ということはなくなっていた。かつて父親に女がいた頃にはそういうことが何度もあったのだ。

「性格は悪くないし、きちんと仕事もする人だったんだけれど、女関係では比較的だらしのない人だったようね」と彼女はまるで他人事のように淡々とした口調で語った。僕は一瞬彼女の父親が既に死んでしまったのかと思ったほどだったが、父親はまだ元気に生きていた。

「でもその頃には父ももう結構年をとっていたし、そんなトラブルもなくなって、そのまま仲良くやっていけそうに見えたのよ」

しかし実際には物事はそう上手くは運ばなかった。母親は当初の予定では十日間のはずであったドイツでの滞在を殆んど何の連絡もなく一ヵ月半にのばし、やっと帰国したあとも大阪にいるもう一人の妹の家に寄宿したまま二度と家には戻ってはこなかった。

どうしてそんなことになってしまったのか、娘である彼女にも夫である父親にも理解することができなかった。何故なら、たとえこれまでに何度かの夫婦の不和があったにせよ、基本的には彼女の母親は我慢強く――ある場合には想像力がいささか不足しているのではないかと思えるくらいに我慢強く――家庭を大事にする人だったし、娘のことをも溺愛していたからだ。だから彼女が家に寄りつかず、ろくに連絡さえしてこないというのは彼らにとってはまったく理解を絶したことであったのだ。いったいいま何が起りつつあるのか、彼らには見当をつけることさえできなかった。彼女や父親が大阪の叔母の家に何度か電話をかけても、母親は殆んど電話口には出てこなかったし、彼女にその真意を問いただすことさえできなかった。

母親の真意が判明したのは、彼女が帰国してから二ヵ月ばかり経過した九月半ばのことだった。ある日突然彼女は家に電話をかけてきて、夫に向って「離婚手続きに必要な書類を送るので署名捺印のうえ送りかえしてほしい」と言った。原因はいったい何か、と父親は質問した。あなたに対してどのような形の愛情も持てなくなったからだ、と母親は即座に答えた。お互いに歩みよる余地はないのかと父親が訊ねると、余地はまったくないと彼女はきっぱりと言った。

それから二ヵ月か三ヵ月両親のあいだで電話による押し問答や交渉や打診がつづいたが、結局母親は一歩もあとに退かなかったし、父親も最後にはあきらめて離婚に同意することになった。それまでの様々な経緯から父親の方にも強硬な態度をとることのできない弱味があったし、それにもともとが何事にもよらずあきらめやすい性格の人だったのだ。

「そのことで私はずいぶんショックを受けたように思うの」と彼女は言った。「でもそれはただ単に離婚という行為自体から受けたショックではなかったの。私はそれまでに何度か二人が離婚するかもしれないと想像したことはあったし、それに対する精神的な準備は既にできていたと思うの。だからごくあたり前のかたちで二人が離婚していたとしたら、私はそれほどは混乱しなかったでしょうね。問題は母が父を捨てただけではなく、私をも捨てたということだったのよ。そのことで私はとても混乱したし、深い傷も受けたの。わかる？」

僕は肯いた。

「私はそれまでずっと母の側に立っていたし、母も私のことを信頼してくれていると思っていたの。それなのに母は何の説明らしい説明もなく父親とこみで私を捨ててしまったのよ。それは私にはとてもひどい仕打ちに思えたし、それから長いあいだ私は母を許すことができなかったの。私は母に何度も手紙を書いて、いろんなことをきちんと説明してほしいと要求したんだけれど、母はそのことについては何も語ってはくれなかったし、私に会いたいとさえ言ってくれなかったわ」

彼女が母親に会ったのは実にそれから三年後のことだった。親類の葬儀があって、そこで二人はやっと顔を合わせることになった。彼女は大学を出てエレクトーンの教師をして生計をたて、母親の方は英語塾の教師をしていた。

葬儀のあとで母親は彼女に向って、「これまであなたに何も話さなかったのは、いったいどのように話せばいいのかがわからなかったからだ」と打ち明けた。

「私自身にさえものごとの進み具合がよく把握できないでいたのよ」と母親は言った。

「でもそもそもはあの半ズボンが原因だったの」

「半ズボン？」と彼女は僕と同じようにびっくりしてききかえした。彼女はそれまで母親とはもう二度と口をききたくないと思っていたのだけれど、結局は好奇心が怒りに打ち勝った。彼女は母親と喪服のままで一緒に近所の喫茶店に入り、アイス・ティーを飲みながらその半ズボンの話を聞くことになった。

そのレーダーホーゼンを売る店はハンブルクから電車に乗って一時間ほどの小さな町にあった。母親の妹がその店のことを調べてきてくれたのだ。「レーダーホーゼンを買うならその店がいちばん良いってドイツ人はみんな言ってるわ。作りもとてもしっかりしているし、値段もそれほど高くはないんだって」と妹は言った。

母親は一人で電車に乗り、夫のみやげにレーダーホーゼンを買うためにその町に出かけた。彼女は列車のコンパートメントでドイツ人の中年の夫婦と一緒になり、英語で世間話をした。彼女が「自分は今からみやげのレーダーホーゼンを買いに行くところだ」と言うと、夫婦は「どこの店に行くつもりか？」と質問した。彼女が店の名を告げると、二人は異口同音に「それなら間違いない。その店がいちばんだ」と言った。それで彼女は意を強くすることができた。

それはとても気持の良い初夏の昼下りだった。町を横切って流れる川は涼し気な水音を響かせ、岸辺の草はその緑の葉を風になびかせていた。丸石敷きの古い街路がゆるやかな曲線を描きながらどこまでもつづき、いたるところに猫の姿が見受けられた。彼女は目についた小さなコーヒー・ハウスに入り、そこで昼食がわりにチーズ・ケーキを食べ、コーヒーを飲んだ。街並みは美しく、静かだった。

彼女がコーヒーを飲み終えたあと、猫と遊んでいると、コーヒー・ハウスの主人がやってきて、「これからどこに行かれるのか？」と質問した。レーダーホーゼンを買いに来たのだ、と彼女が言うと、主人はメモ用紙をとってきてその店の場所を地図に書いてくれた。

「どうもありがとう」と彼女は言った。

一人で旅をすることはなんて素晴しいのだろう、と丸石敷きの道を辿りながら彼女は思った。考えてみればこれは彼女にとっては五十五年間の人生の中ではじめての一人旅なのだ。一人でドイツを旅しているあいだ、彼女は淋しさや怖さや退屈さを一度として感じることはなかった。全ての風景が新鮮であり、全ての人々は親切だった。そしてそのような体験のひとつひとつが長いあいだ使われることなく彼女の肉体で眠っていた様々な種類の感情を呼び起こした。彼女がずっとこれまで大事なものとして抱えて生きてきた多くのものごと――夫や娘や家庭――は今はもう地球の裏側にあった。彼女はそれについて何ひとつ思い煩う必要はないのだ。

レーダーホーゼンの店は簡単にみつかった。ショーウィンドウも派手な看板もない小さな古い店だったが、ガラス窓から中をのぞくとレーダーホーゼンがずらりと並んでいるのが見えた。彼女はドアを押して中に入った。

店の中では二人の老人が働いていた。二人は小声で話をしながら布地の寸法をとったり、ノートに何かを書きつけていたりした。カーテンで仕切られた店の奥はもっと広い作業場になっているらしく、そちらからは単調なミシンの音が聞こえた。

「何か御用でしょうか、奥様」と大柄の方の老人が立ちあがってドイツ語で声をかけた。

「レーダーホーゼンを買いたいのです」と彼女は英語で言った。

「奥様がおはきになるのですか？」と老人がくせのある英語で訊ねた。

「いいえ、そうじゃありません。日本にいる夫のみやげに買って帰るんです」

「うむ」と老人は言って、しばらく考えこんだ。「とすると、御主人は今ここにいらっしゃらないわけですな」

「そうです、もちろん。だって日本にいるんですから」と彼女は答えた。

「とすると、そこにはひとつの問題が生じます」と老人は丁寧に言葉を選びながら言った。

「つまり我々は存在しないお客様には品物を売ることはできんのです」

「主人は存在します」と彼女は言った。

「それはそうです。御主人は存在していらっしゃる。もちろんです」と老人は慌てて言った。

「英語が上手くしゃべれんので申しわけないです。私の言わんとすることは、うむ、御主人がここにおられないのであれば、御主人のためのレーダーホーゼンをお売りすることはできんということです」

「どうして？」と彼女は混乱した頭で訊ねた。

「店の方針なんです。方針《プリンシプル》。我々はおみえになったお客様に体型にあったレーダーホーゼンを実際にはいていただき、細かい調整をし、その上ではじめてお売りするのです。百年以上のあいだ、我々はそのようにして商売をしております。そのような方針の故に我々は信用を築いて参ったのです」

「私はお宅でズボンを買うために、半日つぶしてわざわざハンブルクからやってきたんですよ」

「申しわけありません、奥様」と本当に申しわけなさそうに老人は言った。「しかし例外は認められんのです。この不確かな世界の中で、信用ほど得がたくそして崩れやすいものはないのです」

彼女はため息をついて、しばらく戸口に立っていた。そしてどこかに突破口がないものかと頭を働かせた。そのあいだ背の高い老人は背の低い老人に向ってドイツ語で状況を説明していた。背の低い老人は話を聞きながら、「そう《ヤァ》、そう《ヤァ》」と何度も肯いていた。二人の老人は背丈こそかなり違っていたが、顔つきはそっくりと言っていいくらいよく似ていた。

「ねえ、じゃあこうしたらどうかしら?」と彼女が提案した。「私が主人にそっくりの体型の人をみつけてここに連れてくるの。そしてその人に半ズボンをはいてもらい、あなた方がそれを調整し、私に売るの」

背の高い老人は呆然とした目で彼女の顔をみつめた。

「しかしですね、奥様、それはルール違反です。ズボンをはくのはその人じゃない。あなたの御主人です。そして我々はそのことを知っている。それはできません」

「あなた方は知らないことにすればいいのよ。あなた方はその人にレーダーホーゼンを売り、私がその人からそれを買う。そうすればあなた方の方針には疵はつかないわ。そうじゃないかしら? よく考えて下さいね。私はこの先もう二度とドイツに来ることはないと思うの。だからもし今レーダーホーゼンを買う機会がなければ、私は永遠にそれを手に入れることはできないのよ」

「うむ」と老人は言って、しばらく考えこみ、背の低い老人に向って再びドイツ語で説明を始めた。背の高い老人が話し終えると、今度は背の低い老人がドイツ語でひとしきりしゃべった。そのようなやりとりが何度かつづいた。それが終ると背の高い老人が彼女の方を向いて、「承知しました、奥様」と言った。

「例外的に——あくまで例外的に——我々は事の経緯について何も知らないということにいたします。わざわざ日本から私どものレーダーホーゼンを買いにいらっしゃる方がそれほど数多くいらっしゃるわけではありませんし、私どもドイツ人もそれほど機転がきかないわけでもございません。なるべく御主人によく似た体型の方をおみつけになって下さい。兄もそう言っております」

「ありがとう」と彼女は言った。それから兄の方の老人に向って「とても感謝します《ダス・イスト・ゾー・ネッツト・フォン・イーネン》」とドイツ語で言った。

＊

彼女——というのは僕にその話をしてくれている娘の方——はそこまで話し終えると机の上に手を重ねて一息ついた。僕は冷えてしまったコーヒーの残りを飲んだ。雨はまだ降りつづき、妻はまだ帰ってこなかった。話がこれからどんな風に展開していくのか、僕にはまったく予測がつかなかった。

「それで」と早く結末が聞きたくて僕は口をはさんだ。「お母さんは結局お父さんによく似た体型の人をみつけることができたの？」

「ええ」と無表情に彼女は言った。「見つけることはできたの。お母さんはベンチに座って通りを行く人を眺め、その中からお父さんに体型がそっくりで、なるべく人の良さそうな人を選んで、有無を言わさず――というのはその人は英語がまったくできなかったからなんだけど――店につれていったの」

「ずいぶん行動力のある人らしいね」と僕は言った。

「私にはよくわからないわ。だって日本にいるときはどちらかというとおとなしくて常識的な人だったんだもの」と彼女はため息をついて言った。「でもとにかくその男の人は店の人に事の経緯を説明され、よろしいそういうことならとモデルになることを気持よく承知してくれたの。そしてレーダーホーゼンをはき、店の人がいろんなところをのばしたり縮めたりしたの。そしてそのあいだその男の人と二人の老人はドイツ語で冗談を言っては笑いあっていたの。そして三十分ほどでその作業が終ったとき、母は父親と離婚することを決心していたのよ」

「よく話の筋がわからないな」と僕は言った。「つまり、その三十分のあいだに何かが起こったということ？」

「いいえ、何も起こらなかったわ。三人のドイツ人が和気あいあいと冗談を言いあっていただけ」

「じゃあ、どうしてお母さんはその三十分のあいだに離婚する決心ができたんだろう？」

「それは母親自身にもずっとわからなかったの。それで母もひどく混乱していたのね。母にわかることは、そのレーダーホーゼンをはいた男をじっと見ているうちに父親に対する耐えがたいほどの嫌悪感が体の芯から泡のように湧きおこってきたということだけなの。彼女にはそれをどうすることもできなかったの。その人は——そのレーダーホーゼンをはいてくれた男の人は——肌の色をべつにすれば、うちの父親と本当にそっくりの体型をしていたの。脚のかたちやら、お腹のかたちやら、髪の薄くなり具合までね。そしてその人が新しいレーダーホーゼンをはいていかにも楽しそうに体をゆすって笑っていたの。母はその人の姿を見ているうちに自分の中でこれまで漠然としていたひとつの思いが少しずつ明確になり固まっていくのを感じることができたの。そして母は自分がどれほど激しく夫を憎んでいるかということをはじめて知ったのよ」


妻が買物から戻ってきて、彼女と二人でおしゃべりを始めてからも、僕は一人でずっとそのレーダーホーゼンのことを考えていた。三人で食事をとり、それから軽く酒を飲んだときも僕はまだそのことを考えつづけていた。

「それで、君はもうお母さんのことを憎んではいないの？」と僕は妻が席を立ったときを見はからって彼女にそう訊ねてみた。

「そうね、もう憎んではいないわ。決して親密なわけではないけれど、少なくとも憎んではいないと思うわ」と彼女は言った。

「それはその半ズボンの話を聞かされたから？」

「ええ、そうね。そうだと思うわ。その話を聞いたあとでは私は母のことを憎みつづけることができなくなったの。どうしてだかはうまく説明できないけれど、きっとそれは私たち二人が女だからだと思うの」

僕は肯いた。

「それでもし——もし、さっきの話から半ズボンの部分を抜きにして、一人の女性が旅先で自立を獲得するというだけの話だったとしたら、君はお母さんが君を捨てたことを許せただろうか？」

「駄目ね」と彼女は即座に答えた。「この話のポイントは半ズボンにあるのよ」

「僕もそう思う」と僕は言った。

タクシーに乗った男

何年か前のことだが、ペンネームを使って小さな美術誌のために画廊探訪のような仕事をしたことがある。画廊探訪とはいっても僕は絵についてはまったくの門外漢だからべつに専門的な記事を書くわけではなく、画廊の雰囲気やオウナーの印象を軽いタッチでまとめるといった種類の作業である。僕としてもとくに意欲的にとりくんだというわけでもないし、ちょっとしたいきがかりでたまたま始めたことだったのだが、結果的にはこれはなかなか面白い仕事になった。僕自身も小説を書きはじめてまだ間がない頃だったので、いろんな種類の人々に会って話を聞き、それを記事にまとめるという作業をすることは文章を書く上でとても良い勉強になったように思う。世の中の人々が何を考えていて、それをどんな風にことばにするかというところを僕はなるべく注意深く観察し、それをうまく刈りとって、僕自身の文章に再構築するようにつとめた。

その連載記事は一年間つづいた。雑誌は隔月発売だから、全部で六回ということになる。編集部に（といったって編集者一人きりしかいないのだが）面白そうな画廊をいくつか紹介してもらい、僕が自分の足で歩いてみてそのうちのひとつを選んで記事にするというものだった。四百字詰めにして十五枚ほどの記事だったが、僕自身がどちらかというと不器用で人見知りする性格であったために、はじめのうち作業は難航した。いったい相手に何を訊ね、どうまとめればいいのかまるでわからないのだ。

それでも何度か回をかさね、細かい試行錯誤をくりかえすうちに、僕はそこにひとつのコツらしきものを発見した。インタヴュアーはそのインタヴューする相手の中に人並みはずれて崇高な何か、鋭敏な何か、温かい何かをさぐりあてる努力をするべきなのだ。どんなに細かい点であってもかまわない。人間一人ひとりの中には必ずその人となりの中心をなす点があるはずなのだ。そしてそれを探りあてることに成功すれば、質問はおのずから出てくるものだし、したがっていきいきとした記事が書けるものなのだ。それがどれほど陳腐に響こうとも、いちばん重要なポイントは愛情と理解なのだ。

僕はそれ以来数多くのインタヴューの仕事をしたけれど、インタヴューの相手に対して最後まで一片の愛情をも抱けなかったという例はたった一度しかなかった。それは週刊誌の大学探訪記事を書くためにある有名な私立大学を取材した時で、僕は一週間近く大学を歩きまわって、権威と腐敗と不誠実の匂いしかかがなかった。学長や学部長を含む十人近くの教員にインタヴューして、まともなことばで語ることができた相手は一人しかいなかった。そしてその助教授は二日前に退職願いを出したばかりだった。

でもそれはもう終ったことだ。平和な画廊の話に戻ろう。僕が取材してまわった画廊のほとんどは権威とは無縁の小さな町の画廊だった。僕は三つか四つ年上の背の高いカメラマンと二人で組んで画廊にでかけ、僕がオウナーの話を聞き、彼がそのあいだに室内の写真を撮った。

一応の取材が終ると僕はいつもその画廊の主人に同じひとつの質問をした。あなたがこれまでに目にしたなかでいちばん衝撃的だった絵は何か、という質問である。これはインタヴューの質問としてあまり上等な種類のものではない。小説家に向ってこれまで読んだ中であなたのいちばん好きな小説は何かと訊くのと同じで、あまりにも質問のポイントが漠然としすぎている。「そんなのいっぱいありすぎてわかんないよ」と言われるか、あるいは何度もくりかえされて使い古されてしまった科白が返ってくるのがおちである。しかしそれにもかかわらず、僕は会う人ごとにこの質問をくりかえした。ひとつには美術を職業とする人々に対してこういう質問をすることはインタヴュアーのそれなりの筋だと思ったからであり、ひとつにはうまくつぼにはまれば何か興味のある話が聴けるのではないかという気がしたからだ。

僕に「タクシーに乗った男」という題の絵の話をしてくれたのは四十歳前後の女性のオウナーだった。彼女は決して美人とは言えなかったが、人の心をふとなごませてくれるようなおだやかで上品な顔つきをしていた。大きなリボンのついた白いブラウスにグレーのツイードのスカートをはき、黒いすらりとしたハイヒールをはいていた。生まれつき足が悪く、彼女が木貼りの床を横切ると、不揃いな足音がガランとした室内に楔のように響きわたった。

彼女は青山のビルの一階で版画を中心とした画廊を経営していた。その時壁に飾られていた版画は僕のような素人が見ても上出来な作品とは思えなかったが、彼女の人柄の中にはある種のマグネティズムのようなものが潜んでいて、その奇妙な力が彼女をとりまく様々な事物を実際以上に輝かしく見せているように僕には感じられた。

ひととおりの取材が終ると彼女はコーヒーのカップをかたづけ、戸棚から赤ワインの瓶とグラスを出して、僕とカメラマンに勧め、自分のグラスにも注いだ。彼女の指はとてもほっそりとして若々しかった。奥の部屋には彼女のものらしいバーバリのトレンチ・コートがグレーのカシミヤのマフラーと一緒にハンガーにかかっていた。事務机の上には鴨の形をしたガラスの文鎮と金色の小さなはさみが置いてあった。それは十二月のはじめで、天井に据えつけられた小型のモニター・スピーカーからは小さな音でクリスマス・ソングが流れていた。

彼女は立ちあがって部屋を横切り、どこかから煙草の箱を持って戻ってきた。そして細長い金色のライターで火をつけ、煙を唇から細く吐きだした。靴音さえ聞かなければ、彼女の身のこなしの中に不自然な部分はまるで見受けられなかった。

「最後にひとつだけ質問があるんです。もしよろしければ」と僕は言った。

「どうぞ、もちろん」と彼女は言った。それからにっこり笑った。「でもなんだかそういう言い方ってテレビの刑事ものみたいじゃありません？」

僕は笑った。カメラマンも笑った。

「あなたがこれまでに巡りあった中でいちばん衝撃的だったのはどんな絵ですか？」と僕は訊ねた。

彼女はしばらく黙って考えこんでいた。それから灰皿の中で煙草を消して僕の顔を見た。

「その質問に対する答は〈衝撃的〉っていうことばの意味あいによると思うんです。〈衝撃的〉って何かっていうことね。それは芸術的感動のようなものかしら、それとももっと素朴にショッキング、ストライキングっていうことなのかしら？」

「芸術的感動である必要はないと思います」と僕は言った。「僕の意味するのはもっと皮膚的な、生理的なショックのことです」

「皮膚的なショックなしに我々の職業は成立しません」と彼女は笑いながら言った。「そんなものはいくらでもそのあたりに転がっています。不足しているのはむしろ芸術的感動の方じゃないかしら」

彼女はグラスを手にとり、ワインで口を湿した。

「問題は」と彼女は言った。「誰も本気で感動を求めてないことです。そう思いません？あなたも文章をお書きになっていて、そうお感じになりません？」

「そうかもしれません」と僕は言った。

「芸術的感動の不便な点は、それをうまく言葉で表現できないという点にあります」と彼女はつづけた。「あるいは表現できたとしても、すごくステレオタイプなものになってしまう。紋切型・大時代・月並……まるで恐竜みたいにね。だからみんなもっと簡潔で簡便なものを求めるんです。自分の表現の入りこむ余地のあるものや、テレビのリモート・コントローラーみたいにパチパチとチャンネルを切りかえられるものをね。皮膚的なショック・感性……呼び方はなんでもいいわ」

彼女は空になった三つのグラスにワインを注ぎ、新しい煙草に火をつけた。

「話がまわりくどいわね」

「なかなか面白いです」と僕は言った。

エア・コンディショナーのかすかなうなりと加湿機の排気音とクリスマス・ソングが小さくまじりあって、奇妙に単調な音を作りだしていた。

「もし芸術的感動でもなく、皮膚的なショックでもないものでかまわなければ、私の心に残っている一枚の絵についてお話しできると思います。というか、一枚の絵にまつわる話とでもいうべきなのかもしれないけれど、そういうのでもよろしいかしら?」

「もちろん結構です」と僕は言った。

「1968年のことです」と彼女は話した。「私はそもそもは画家になるつもりでアメリカ東部の美術大学に留学していたのですが、卒業後もそのままニューヨークに残って自活するために——あるいは自分の才能に見切りをつけたのでといってもいいんですけれど——絵のバイヤーのような仕事を始めました。つまりニューヨークの若手画家や無名画家のアトリエをまわって筋の良さそうなものをみつけ、それを買いつけて東京の画商に送るっていう仕事です。はじめのうちは私がカラーのネガを送り、東京のスポンサーがその中から気に入ったものを選んで、それを私が現地で買うというシステムだったんですが、そのうちに信用されて、私の裁量ひとつで直接に絵が買えるようになりました。それに加えて私はグリニッジ・ヴィレッジの画かきの世界にかなりしっかりとした情報網というかコネクションのようなものを持っていました。おかげで誰が面白そうなことをやっているだとか、誰が金に困っているだとかという情報はぜんぶ私の耳に入ってきました。1968年のグリニッジ・ヴィレッジというのは、それはたいしたものでした。あの頃のことは御存じかしら？」

「大学生でした」と僕は言った。

「じゃおわかりになるわね」と彼女は言って一人で肯いた。「そこには何もかもがありました。本当の何もかもよ。いちばん上からいちばん下までよ。まじり気なしの本物から百パーセントの偽物まで、……私のような仕事をする人間にとってはその時代のヴィレッジはまるで宝の山のようなものだったんです。きちんとした目さえ持ちあわせていれば、他の時代の他の場所ではまずお目にかかれなかったような素晴しい人々や力のある斬新な作品に出会うことができました。じっさいの話、私がその当時東京に送った作品の多くは今ではかなりの値段がついています。そのうちのいくつかでも自分のためにとっておいたら、私も今ごろちょっとしたお金持ちになっていたと思うんだけれど、そのころは本当にお金がなかったものだから……残念ね」

彼女は膝の上に置いた両方の手のひらを上に向け、それからにっこりと笑った。

「でもその当時一枚だけ、たった一枚だけ、例外的に自分のために買った絵がありました。『タクシーに乗った男』というのがその絵の題です。でもこれは残念ながら芸術的に優れているわけではなく、手法的に優れているわけでもなく、かといって荒削りながらも才能の萌芽が見られるわけでもありませんでした。作者は無名の亡命チェコ・スロヴァキアの画家で、無名のままどこかに消えてしまいました。だからもちろん高い値段もつきっこありません。……ねえ変だと思いません？　他人のために値打の出る絵ばっかり選んで、私自身のために選んだたった一枚がまるっきりの無価値だなんてね。……でもきっとそういうものなのね」

僕は適当にあいづちを打って話のつづきを待った。

「私がその画家のアパートに行ったのは1968年の九月の午後でした。雨があがったばかりで、まるでニューヨークじゅうがまるごと蒸し焼きにされているような具合でした。その画家の名前はもう忘れてしまいました。御存じのように東欧系の人たちの名前ってアメリカ風に変えてないとすごく覚えにくいんです。彼を紹介してくれたのは私と同じアパートに住んでいたドイツ人の画学生でした。彼が私の部屋のドアをノックしてこう言ったんです。『ねえトシコ、僕の知りあいにとても金に困ってる絵かきがいるんだ。もし良かったら明日にでもちょっと寄って絵を見てやってくれないかな?』『オーケー』と私は言いました。『でもその人は才能あるの?』『たぶんあまりないね』と彼は言いました。『でも良い奴なんだ』それで私たちはそのチェコ人のアパートにでかけました。その当時のヴィレッジにはそういうところがありました。なんていえばいいのか……少しずつ肩を寄せあっているようなところがね」

彼女はそのチェコ人の住むとびっきり汚ないアパートの部屋で二十枚ばかりの絵を見せてもらった。チェコ人は二十七歳で、三年前に国境を越えて亡命してきたばかりだった。彼はウィーンに一年住み、それからニューヨークにやってきた。プラハに妻と幼い娘を残してきたということだった。彼は昼間はアパートで絵を描き、夜は近所のトルコ料理店で働いていた。「チェコには表現の自由がないんです」と彼は言ったが、さしあたって彼に必要なものは表現の自由以前のものだった。ドイツ人の画学生の言うように彼には才能というものが欠けていた。

「プラハに留まっているべきだったわね」と彼女は心の中でつぶやいた。

そのチェコ人の絵は技術的には部分部分に見るべきものはあった。とくに色づかいにははっとさせられるところがあった。素晴しいタッチもあった。しかしそれだけだった。プロの目から見れば、絵はそこで完全にストップしていた。意識の広がりというものがないのだ。同じようにストップしていても、それは芸術的「袋小路《カルデサック》」までにも到っていなかった。ただの「頭打ち」だった。それだけ《ザッツ・オール》。

彼女はドイツ人の画学生の方をちらりと見た。彼の表情が無言のうちに語る結論も彼女と同じだった。それだけ《ダス・イスト・アレス》。チェコ人だけがぼんやりとした不安気な目つきで彼女の一挙一動を見守っていた。

礼を言ってチェコ人のアパートを引きあげようとした時、ドアのわきに置かれた一枚の絵が彼女の目をふと捉えた。20インチのテレビジョンの画面くらいの大きさの横長の絵だった。他の絵とは違って、その絵の中には何かが息づいていた。たいしたものではない。ほんのささやかな何かだ。じっと見つめているとそのうちにちぢんで消え失せてしまいそうな程度のものだ。しかしどれだけささやかではあってもそれはたしかに絵の中で息づいていた。彼女はチェコ人に頼んで他の絵をぜんぶわきに寄せて壁にまっ白なスペースをつくってもらい、そこにその絵をたてかけて、じっと眺めた。

「これは私がニューヨークに来ていちばん最初に描いた絵です」とチェコ人は落ちつかなげに早口で言った。「ニューヨークに来たはじめての夜、タイムズ・スクエアの角に立って、何時間も通りを眺めていました。そして部屋に戻ってきて一晩で描いたんです」

それはタクシーの後部座席に座った若い男の絵だった。カメラに即していうと、レンズがフロント・シートのまん中から心もちワイドに男の姿を捉えている。男は顔を横に向けて、窓の外に目をやっている。ハンサムな男だ。夜会服に白のフォーマル・シャツ、黒の蝶ネクタイ、そして白のスカーフ。ちょっとしたジゴロのようではあるが、ジゴロではない。ジゴロになるためには、彼には何かが欠けている。それはひとことで言うと集約された飢えのようなものだ。

もちろん彼に飢えがないというのではない。飢えのない若い男がどこにいるだろう？　ただ彼の中の飢えはあまりにも漠然とした形をとっているので、まわりから見ると——あるいは彼自身の目から見ても——それは何かべつの、発展途上にあるある種の物の見かた《ポイント・オブ・ヴュー》のように思えてしまうのだ。それはまるで青い霞のようだ。存在していることはわかるが——つかめない。

ちょうど同じように、その青い霞のように、夜がタクシーを覆っている。車の後部ガラス窓から、その夜の色が見える。夜の色しか見えない。青い色の中に、黒と紫が流し込まれる。とてもシックな色だ。デューク・エリントン・オーケストラのトーンのように、シックでぶ厚い。そこに手を触れただけで、五本の指がすっぽりと吸いこまれてしまいそうなほどぶ厚い。

男は横を向いている。でも彼は何ひとつ見てはいない。窓ガラスの向う側に何が見えるにせよ、その風景は彼の心にひっかき傷ひとつ残さない。車は動きつづける。

「男はどこかに行こうとしているのか？
男はどこかに帰ろうとしているのか？」

絵はそれについては何ひとつとして語ってはいない。男はタクシーという限定されたフォームの中に含まれている。タクシーは移動というその本来的な原則の中に含まれている。それは移動する。どこに行こうがどこに帰ろうが、どちらだっていいのだ。どこだっていいのだ。それは広大な壁に開いた暗い穴だ。それは入口であり、出口である。

男はいわば、その暗闇を見ている。男の唇は乾いていて、ひどく煙草を求めているように見える。しかし何かの理由で、煙草は彼の手の届かぬはるか遠くにある。頬骨がはり出している。顎の肉はそげている。暴力的なそげ方だ。そこに、まるで傷あとのように細い陰影がついている。目に見えぬ世界の、音のない戦闘があとに残していった陰影だ。白いスカーフがその傷ぐちの先端を覆っている。

「結局私は120ドル出してその絵を自分のために買いました。120ドルは一枚の絵の値段としてはそれほど高い金額ではありませんが、当時の私にとってはちょっと痛い出費でした。私はその時妊娠していまして、主人は職にあぶれていました。彼はオフ・オフ・ブロードウェイの役者をしていたんですが、職があったとしても、そんなのはたいした金にはなりませんでした。生活費のおおかたは私が稼いでいたんです」

彼女はそこで話を区切って、昔を思い出すようにワインをまたひとくち飲んだ。

「その絵が気に入ったんですね？」と僕は訊ねてみた。

「絵は気に入りませんでした」と彼女は言った。「絵そのものはさっきも申しあげたとおり素人芸に毛がはえたといった程度のものです。悪くはありませんが良くもありません。私が気に入ったのは、そこに描かれていた若い男です。私はその男を眺めるためにその絵を買ったんです。それだけのことです。チェコ人は絵が認められたことでとても喜んでいましたし、ドイツ人の青年はちょっとびっくりしていました。でも彼らには永久に理解できないでしょうね。私がその絵を買った本当の理由なんてね」

クリスマス・ソングのテープがそこで終り、か
たんという音とともに深い沈黙がやってきた。彼女はツイードのスカートの上で指をかさねた。

「私はその時二十九歳でした。月並な言い方ですが、私の青春はもう終ろうとしていまし

た。私は画家になろうとしてアメリカにやってきて、結局画家にはなれませんでした。私の腕は私の目ほど立派ではありませんでした。私は何ひとつとして自分の腕でものを創りだすことができませんでした。そしてその絵の男は……なんだか私自身の失われてしまった人生の一部であるように思えたんです。私はその絵をアパートの部屋の壁にかけて、毎日毎日眺めて暮しました。その絵の男を見るたびに、私は自分が失ったものの大きさを思いしらされました。あるいはその小ささをね」

「夫はよく私に向って、君はその男に恋しているんだろうと言ってからかいました。私がいつもその絵を黙ってじっと眺めているもので、彼はそんな風に考えたんです。でも彼は間違っています。私が彼に対して抱いていた感情はいわばsympathyのようなものです。私の言うsympathyは同情でも共感でもなく、二人の人間がある種の哀しみをわかちあうことです。おわかりになりますか？」

僕は黙って肯いた。

「あまりにも長くそのタクシーに乗った男を眺めていたせいで、彼はいつの間にか私にとっての分身のような存在になりました。彼には私の気持がわかりました。私には彼の気持がわかりました。私には彼の哀しみがわかりました。彼は凡庸という名のタクシーの中に閉じこめられていました。彼はそこから抜け出すことができませんでした。永遠にです。

本当の永遠です。凡庸さが彼をそこに生ぜしめ、そして凡庸な背景の檻の中に埋めこんだのです。哀しいことだとお思いになりませんか？」

彼女は口をつぐみ、しばらく黙りこんだ。それから口を開いた。

「とにかくそういう話です。芸術的な感動も衝撃も何もありません。感性とか皮膚的なショックとかもありません。でもいちばん心に残っている絵と訊かれれば、この一枚しかありえないでしょうね。そんなところでいいかしら？」

「ひとつだけ質問があります」と僕は言った。「その絵は今もお持ちですか？」

「持っていません」と彼女は即座に答えた。「焼き捨てました」

「いつのことですか？」

「1971年です。1971年の五月。ほんのついこのあいだのことのようだけれど、もう十年近くも前のことなのね。いろんな出来事が次から次へとかさなって、私は主人と別れて日本に帰る決心をしました。子供も手放しました。細かいことはあまり申しあげたくないので省かせていただきます。その時私は何もかもを捨てようと思ったんです。何もかもをです。その土地で私を捉えたすべての夢や希望や愛や、そういうものの残像の何もかもをです。私は友人からピックアップ・トラックを借りて荷台に部屋の中の一切合財をつみこみ空地に持っていき、灯油をかけて焼きました。『タクシーに乗った男』もその中にありました。感傷的な音楽が似合いそうな情景だと思いません？」

彼女がにっこりしたので、僕も微笑んだ。

「絵を焼くことは惜しくはありませんでした。それは私自身が解放されるのと同時に彼を解放することでもあったからです。彼は焼かれることによって凡庸の檻からやっと解放されたのです。私は彼を焼き、そして私の一部を焼きました。1971年の五月のよく晴れた気持の良い午後でした。それから私は日本に帰りました。というわけで」と言って彼女は部屋の中のぐるりを手で示した。「このとおりです。私は画廊を経営しています。仕事は順調です。私には、なんて言えばいいのかしら、商才があるんですね、きっと。今は独身ですが、べつに辛くはありません。それなりに楽しく暮しています。でも『タクシーに乗った男』の話は1971年の五月の午後のニューヨークの空地で終ったわけではありませんでした。話にはつづきがあります」

彼女はプレイヤーズの箱から煙草をとりだし、ライターで火をつけた。カメラマンが咳払いをした。僕は椅子の上で体の位置を変えた。煙草の煙がゆっくりと上にのぼり、エア・コンディショナーの風に吹かれて散るように消えた。

「去年の夏、アテネの街で私は彼に会ったのです。彼です。絵の中の『タクシーに乗った男』にです。間違いはありません。たしかに彼でした。私はアテネのタクシーの後部座席で彼と隣りあわせたのです」

それはまったくの偶然だった。彼女は旅行中で、夕方の六時頃にアテネのエジプト広場の前からバシリシス・ソフィアス大通りまでタクシーに乗ったのだが、その若い男はオモニア広場のあたりで彼女の隣りの席に乗りこんできた。アテネでは行き先さえうまく合致すればタクシーはどんどん客を相乗りさせていくのだ。

男はほっそりとした体つきで、とてもハンサムだった。そして夏のアテネにしては珍しく夜会服を着こみ蝶ネクタイをしめていた。これから大事なパーティーに出かけるといった様子だった。何から何まで寸分たがわずニューヨークで彼女が買い求めた絵の中の男にそっくりだった。彼女は一瞬自分がとんでもない思い違いをしているような気がした。間違った時間に間違った場所にとびこんでしまったような、そんな気分だった。自分の体が十センチも空中に浮かんでいるような感じだった。頭の中がまっ白になり、それが少しずつもとに戻るのにずいぶん長い時間がかかった。

「ハロー」と男は微笑みながら彼女に向って言った。

「ハロー」と殆んど反射的に彼女は答えた。

「日本人でしょう？」と男はきれいな英語で言った。

彼女は黙って肯いた。

「日本には一度行ったことがあります」と彼は言った。それから沈黙の長さをはかるような具合に空中で手の指を広げた。「公演旅行をしたんです」

「公演?」と彼女は漠然とした気分のまま口をはさんだ。

「僕は俳優なんです。ギリシャ国立劇場の俳優です。ギリシャの古代劇はご存じでしょう? エウリピデス、アイスキュロス、ソフォクレス……」

彼女は肯いた。

「要するにギリシャです。古いものがいちばん優れています」彼はそう言ってにっこり笑うと話題をひと区切りし、すらりとした首を横に向けて窓の外の風景を眺めた。そう言われてみると、彼は俳優以外の何ものにも見えなかった。彼は長いあいだ窓の外に目を向けたままぴくりとも動かなかった。スタディオウ通りは通勤の車で混みあっていて、タクシーはゆっくりとしか前に進まなかったが、男はそんなことにはおかまいなしに商店のウィンドウや映画館の看板を見つめていた。

彼女は懸命に頭の中を整理しようと試みた。現実をきちんとした現実の枠の中に入れ、イマジネーションをきちんとしたイマジネーションの枠の中に入れた。しかしそれでも事態は何ひとつとして変らなかった。彼女は七月のアテネの街のタクシーの中で絵の中の男と隣りあわせに座っていた。間違えようはなかった。

そのうちに車はやっとスタディオウ通りを過ぎ、シンタグマ広場のわきを抜け、バシリシス・ソフィアス大通りに入った。タクシーはあと二、三分で彼女の泊ったホテルの前に着こうとしていた。男は黙ったままじっと窓の外を眺めていた。気持の良い夕暮の微風が、彼のやわらかい髪を揺らせていた。

「失礼ですが」と彼女は男に向って話しかけた。「今からどこかのパーティーにいらっしゃるんでしょうか？」

「ええ、もちろん」と男は彼女の方を向いて言った。「パーティーです。とても大きな立派なパーティーです。いろんな人々がやってきて、お酒がふるまわれます。たぶん夜明けまでつづくでしょうね。僕は途中でひきあげますが」

タクシーはホテルの玄関でとまり、タクシー係の男がドアを開けた。

「よいご旅行を《カロ・タクシージ》」と男がギリシャ語で言った。

「どうもありがとう《エフカリスト・ポリ》」と彼女は言った。

タクシーが夕暮の車のラッシュの中に消えていくのを見届けてから彼女はホテルの中に入った。淡い闇が風に吹かれる幕のように都市の上をさまよい流れていた。彼女はホテルのバーに座ってウォッカ・トニックを三杯飲んだ。バーの中はしんとして彼女の他には客の姿もなく、夕暮の闇もそこまでは届いてはいなかった。まるで彼女自身の一部があのタクシーの中に置き忘れられてきてしまったような感じがした。彼女の一部がまだあのタクシーの後部座席に残っていて、あの夜会服を着た若い俳優と一緒にどこかのパーティー会場に向っているような、そんな感じだった。それはちょうど揺れる船から下りて、強固な地表に立った時に感じるのと同じ種類の残存感だった。肉体が揺れ、世界がとどまっていた。

　思い出せないほどの長い時間がたって、彼女の中のその揺れが収まった時、彼女の中の何かが永遠に消えた。彼女はそれをはっきりと感じることができた。何かが終ったのだ。

「彼が私に向って言った最後のことばは私の耳にまだはっきりと焼きついています。『カロ・タクシージ――よいご旅行を』」そう言って彼女は膝の上で両手をあわせた。「素敵なことばだと思いませんか？　そのことばを思い出すたびに私はこんな風に思うんです。私の人生は既に多くの部分を失ってしまったけれど、それはひとつの部分を終えたというだけのことであって、まだこれから先何かをそこから得ることができるはずだってね」

　彼女はため息をつき、それから唇を少しだけ横に広げるようにして微笑んだ。

「これで『タクシーに乗った男』の話はおしまいです。終り《ザッツ・オール》」と彼女は言った。「長い話でごめんなさい」

そんなことはない、とても面白い話だと思う、と僕とカメラマンは言った。

「この話には教訓があります」と彼女は最後に言った。「自分自身の体験によってしか学びとることのできない貴重な教訓です。それはこういうことです。人は何かを消し去ることはできない――消え去るのを待つしかない、ということです」

彼女の話はそこで終った。

僕とカメラマンはグラスに残ったワインを飲み干し、彼女に礼を言って画廊をあとにした。

僕はこの彼女の話をすぐに原稿用紙にまとめてみたのだが、そのときは雑誌のスペースの都合でどうしても記事にすることができなかった。それで今このような形で発表することができて、僕はすごくほっとしている。

プールサイド

35歳になった春、彼は自分が既に人生の折りかえし点を曲がってしまったことを確認した。

いや、これは正確な表現ではない。正確に言うなら、35歳の春にして彼は人生の折りかえし点を曲がろうと決心した、ということになるだろう。

もちろん自分の人生が何年つづくかなんて、誰にもわかるわけはない。もし78歳まで生きるとすれば、彼の人生の折りかえし点は39ということになるし、39になるまでにはまだ四年の余裕がある。それに日本人男性の平均寿命と彼自身の健康状態をかさねあわせて考えれば、78年の寿命はとくに楽天的な仮説というわけでもなかった。

それでも彼は35歳の誕生日を自分の人生の折りかえし点と定めることに一片の迷いも持

たなかった。そうしようと思えば死を少しずつ遠方にずらしていくことはできる。しかしそんなことをつづけていたら俺はおそらく明確な人生の折りかえし点を見失ってしまうに違いない。妥当と思われる寿命が78が80になり、80が82になり、82が84になる。そんな具合に人生は一寸刻みに引きのばされていく。そしてある日、人は自分がもう50歳になっていることに気づくのだ。50という歳は折りかえし点としては遅すぎる。百まで生きた人間がいったい何人いるというのだ？　人はそのようにして、知らず知らずのうちに人生の折りかえし点を失っていくのだ。彼はそう思った。

二十歳《はたち》を過ぎた頃からその〈折りかえし点〉という考え方は自分の人生にとって欠くべからざる要素《ファクター》であるように彼は感じつづけてきた。自らを知るには自らの立った場所の正確な位置をまず知るべきだというのが彼の考え方の基本だった。

あるいはそういった考え方には、彼が中学校に入ってから大学を卒業するまでの十年近くをトップクラスの水泳選手として送ったという事実も少なからず影響を与えていたかもしれない。水泳というスポーツには、たしかに区切りが必要だった。指先がプールの壁に近づくと、彼はイルカのように水中で身を躍らせ、一瞬にして体の向きを変え、足の裏で思い切り壁を蹴る。そして後半の200メートルへと突入する。それがターンだ。

もし水泳競技にターンがなく、距離表示もなかったとしたら、400メートルを全力で泳ぎきるという作業は救いのない暗黒の地獄であるに違いない。ターンがあればこそ彼はその400メートルをふたつの部分に区切ることができるのだ。〈これで少なくとも半分は済んだ〉と彼は思う。次にその200をまた半分に区切る。〈これで3/4は済んだ〉。そしてまた半分……、という具合に長い道のりはどんどん細分化されていく。距離の細分化にあわせて、意志もまた細分化される。つまり〈とにかくこの次の5メートルを泳いでしまおう〉ということだ。5メートル泳げば400メートルの距離は1/80縮まることになる。そのように考えればこそ、彼は水の中であるときには嘔吐し肉を痙攣させながらも最後の50メートルを全力で泳ぎきることができたのだ。

　他の選手たちがいったいどのような思いを抱いてプールを往復していたのかはわからない。しかし彼にとってはその分割方式がいちばん性にあっていたし、またいちばんまっとうな考え方であるように思えた。物事がどのように巨大に見え、それにたちむかう自分の意志がどのように微小に見えても、それを〈5メートルぶん〉ずつ片づけていくことは決して不可能ではないという事実を、彼は50メートル・プールの中で学んだ。人生にとっていちばん大事なことはきちんとした形をとった認識なのだ。

　だから35回めの誕生日が目前に近づいてきた時、それを自分の人生の折りかえし点とすることに彼はまったくためらいを感じなかった。怯えることなんて何ひとつとしてありはしない。70年の半分の35年、それくらいでいいじゃないかと彼は思った。もしかりに70年を越えて生きることができたとしたら、それはそれでありがたく生きればいい。しかし公式には彼の人生は70年なのだ。70年をフルスピードで泳ぐ――そう決めてしまうのだ。そうすれば俺はこの人生をなんとかうまく乗り切っていけるに違いない。

そしてこれで半分が終ったのだ

と彼は思う。

1983年の3月26日は彼の35回目の誕生日だった。妻は彼に緑色のカシミヤのセーターをプレゼントした。日が暮れると二人は青山にある行きつけのレストランにでかけてワインを開け、魚料理を食べた。そしてそのあと静かなバーでジン・トニックを三杯か四杯ずつ飲んだ。彼は〈折りかえし点〉の決心について妻には何も言わないことに決めていた。そういった種類の物の見方は他人の目には往々にして馬鹿げたものとして映るものだということが彼にはよくわかっていた。

二人はタクシーで家に帰り、セックスをした。彼がシャワーから出て台所に行き、缶ビールを手に寝室に戻ってくると、妻はもうぐっすりと眠っていた。彼は自分のネクタイとスーツを洋服だんすにかけ、妻のシルクのワンピースはそっと畳んで机の上に置いた。シャツやストッキングは丸めて浴室の洗濯籠に放りこんだ。

彼はソファーに座って一人でビールを飲み、しばらく妻の寝顔を眺めていた。彼女は一月に30になったばかりだった。彼女はまだ分水嶺のあちら側にいた。彼はもう分水嶺のこちら側にいた。そう考えるとなんだか不思議な気がした。彼はビールの残りを飲み干し、それから頭の後ろで腕を組み、声を立てずに笑った。

もちろん訂正は可能だった。人生は80年、とあらためて決めてしまえばいいのだ。そうすればターニング・ポイントは40歳になり、あと5年間彼はあちら側にとどまることができる。でもそれに対する答えはノーだった。彼は35にして既にターニング・ポイントをまわってしまったのだ。それでいいじゃないか。

彼は台所に行ってもう一本ビールを飲んだ。そして居間のステレオ装置の前にうつぶせに寝転び、ヘッドフォンをつけ、夜中の二時までブルックナーのシンフォニーを聴いた。夜中に一人でブルックナーの長大なシンフォニーを聴くたびに、彼はいつもある種の皮肉な喜びを感じた。それは音楽の中でしか感じることのできない奇妙な喜びだった。時間とエネルギーと才能の壮大な消耗……。

＊

最初に断っておきたいのだけれど、はじめから終りまで僕は彼が僕に語ったままをここに書き記している。もちろんある種の文章的脚色はあるし、不必要と思える部分は独断で省いた。僕の方から質問してディテイルを補足した箇所もある。ほんの少しだけれど僕の想像力を駆使したところもある。しかし全体としては、この文章は彼の語ったままと考えていただいて問題はないと思う。彼の話しぶりは正確で要を得ていたし、しかるべき部分では状況を刻明に描写することもできた。彼はそういったタイプの人間だった。

彼はある会員制のスポーツ・クラブのプールサイドにあるカフェテラスで、僕にこの話をした。

＊

誕生日の翌日は日曜日だった。彼は七時に目覚めると湯をわかして熱いコーヒーを作り、レタスとキュウリのサラダを食べた。珍しく妻はまだぐっすり眠っていた。食事が済むと音楽を聴きながら、彼は水泳部時代に叩きこまれたかなりハードな体操を15分みっちりとやった。ぬるめのシャワーを浴び、髪を洗い、髭を剃る。そして長い時間をかけて念入りに歯を磨く。歯磨粉はほんの少しにして、一本一本の歯の表と裏にゆっくりとブラシを走らせる。歯と歯のあいだの汚れにはデンタル・フロスを使う。洗面所には彼のぶんだけで三種類もの歯ブラシが並んでいる。特定の癖がつかないように、ローテーションを組んで一回ごとに使いわけるのである。

そういった朝の儀式をひととおり済ませてしまうと、彼はいつものようには近所の散歩にはでかけず、脱衣室の壁についた等身大の鏡の前に生まれたままの姿で立ち、自分の体をじっくりと点検してみた。なにしろそれは後半の人生にとっての最初の朝なのだ。彼はあたかも医者が新生児の体を調べあげるように、不思議な感動をもって自分の体の隅々までを眺めた。

まず髪、それから顔の肌、歯、顎、手、腹、脇腹、ペニス、睾丸、太股、足。彼は長い時間をかけてそのひとつひとつをチェックし、プラスとマイナスを頭の中のリストにメモした。髪は二十代に比べて幾分薄くはなっていたが、まだとくに気になるほどではなかった。50まではたぶんこのままでいけるだろう。そのあとはそのあとでまた考えればいい。かつらだって良いものができているし、俺の場合は頭の形は悪くないから、禿げたとしてもそれほどみっともない格好にはなるまい。歯は若いうちからの宿命的な虫歯のせいでかなりの数の義歯が入っている。しかし三年前から念入りなブラッシングをつづけているおかげで、進行はぴたりと止まっている。「20年前からこうしてりゃ今ごろ虫歯なんて一本もないんですがね」と歯科医は言う。たしかにそのとおりだが、終ってしまったことを嘆いてみたって仕方ない。現状を維持する、今となってはこれが全てだ。彼は歯科医にいったいいくつまで自分の歯でものが嚙めるだろうかと訊ねてみた。「60までは大丈夫でしょう」と医者は言った。「このままきちんと手入れをなさっていればね」それで十分だ。

顔の肌の荒れ方はやはり年相応のものだった。血色は良かったから一見若々しくは見えるのだが、鏡にじっと近づいて見ると、皮膚には細かい凹凸ができていた。毎年夏になるとずいぶん無茶な焼き方をしたし、煙草も長いあいだ吸いすぎてきた。この先は良質なローションかスキンクリームが必要だった。顎の肉は予想したより多くついていた。これは遺伝的なものだ。どれだけ運動をして頰の肉を削っても、うっすらと雪がつもったように見えるこの柔らかい肉のヴェールだけは絶対に落とすことができない。年をかさねるにしたがってこれは決定的になってくる。そして俺も父親と同じようにいつかは二重顎になるだろう。結局はあきらめるしかないのだ。

腹についてはプラスとマイナスが六分四分というところだった。運動と計画的な食事のおかげで三年前に比べて腹は格段にしまっていた。35にしては上出来だ。しかし脇腹から背中にかけての贅肉は生半可な運動でそぎおとすことはできない。横を向くと、学生時代のまるでナイフでそいだような腰の後ろの鋭い線は消え失せていた。性器にはそれほど変化はない。昔に比べれば全体として生々しさが幾分減ったようでもあるが、それも気のせいかもしれない。セックスの回数はもちろん昔ほど多くはないが、今のところインポテンツの経験はない。妻とのあいだにも性的な不満はない。

全体として見れば身長173センチ、体重64キロの彼の体はまわりにいる同年代の男たちの体と比べてみれば比較にならぬほど若く保たれていた。28歳といっても十分に通用するほどである。肉体的な瞬発力こそ衰えはしたが持久力に限っていえば、彼の肉体はトレーニングのせいで二十代の当時より進歩さえしている。

しかし彼の注意深い目は自らの体をゆっくりと覆っていく宿命的な老いの影を見逃しはしなかった。頭の中のチェックリストにはっきりと刻みこまれたプラスとマイナスのバランス・シートが何よりも雄弁にその事実を物語っていた。どれだけ他人の目をごまかせても、自分自身をごまかして生きていくわけにはいかない。

俺は老いているのだ。

これは動かしがたい事実だった。どれだけ努力したところで、人は老いを避けることはできない。虫歯と同じことだ。努力をすればその進行を遅らせることはできるが、どれだけ進行を遅らせたところで、老いは必ずその取りぶんを取っていく。人の生命というものはそういう具合にプログラムされているのだ。年をとればとるほど、払われた努力の量に比して得ることのできるものの量は少なくなり、そしてやがてはゼロになる。

彼は浴室を出てタオルで体を拭い、ソファーに横になって長いあいだ何をするともなくぼんやりと天井を眺めていた。隣りの部屋では妻がアイロンをかけながらラジオから流れるビリー・ジョエルの唄にあわせてハミングしていた。閉鎖された鉄工所についての唄だ。典型的な日曜日の朝だった。アイロンの匂いとビリー・ジョエルと朝のシャワー。

「年老いること自体は正直に言って、僕にとってはそれほどの恐怖というわけでもないんだ。さっきも言ったようにね。それに抗いがたいものに対して抗いつづけるというのは僕の性分にあっている。だからそんなのは辛くもないし、苦痛でもない」と彼は僕に言った。「僕にとっていちばん問題なのは、もっと漠然としたものなんだ。そこにあることがわかっていても、きちんと直面して闘うことのできないもの。そういうもののことだよ」

「そういうものを、何かしら感じるということ？」と僕は訊ねてみた。

彼は肯いた。「たぶんそういうことだと思う」と彼は言った。それからテーブルの上で居心地悪気に両手の指を動かした。「もちろん僕だって35にもなった男が人前であらためてこんなことを持ちだすのが馬鹿馬鹿しいことだっていうくらいはわかる。そういった類の把握不能な要素は誰の人生にだってある。そうだろう?」

「そうだろうね」と僕はあいづちを打った。

「でもね、正直に言って、実際にこんな風にはっきりと感じたのは僕にとっては生まれてはじめてなんだよ。つまり自分の中に名状しがたい把握不能の何かが潜んでいることを感じたのはさ。だからそれをいったいどうすればいいのか、まるでわからないんだ」

口の出しようがなくて、僕は黙っていた。彼はたしかに混乱しているように見えたが、それでもその混乱ぶりは混乱しているなりにすっきりと筋がとおっていた。それで僕は何も言わずに彼の話を聞きつづけることにした。


彼が生まれたのは東京の郊外だった。昭和23年春、まだ終戦後まもない頃である。兄が一人、あとになって五歳下の妹が生まれた。父親はもともとは中堅クラスの不動産業者だったが、後に中央線沿線を中心とした貸ビル業に進出して、60年代の高度成長期にはかなりの成功を収めた。彼が14歳の時に両親が離婚したが、複雑な事情があって子供たちは三人とも父親の家にとどまった。

彼は私立の一流中学から同じ系列の高校へ、そして大学へとエスカレーター式に上がっていった。成績も悪くなかった。大学に入ると彼は三田にある父親のマンションに移った。そして週に5日はプールで泳ぎ、残りの2日を女の子とのデートにあてた。それほど派手に遊びまわりはしなかったものの、遊び相手に不自由したこともなかった。結婚の約束をさせられるまで深く、一人の女の子とつきあうこともなかった。マリファナも吸ったし、友だちに誘われてデモにでかけたこともあった。勉強というほどの勉強をしたわけではないが、それでも講義にだけはきちんと出席していたから人並み以上の成績を残すことができた。ノートは一切とらないのが彼のやり方だった。ノートをとる暇があるなら、そのぶん授業に真剣に耳を傾ければいいのだ。

まわりの多くの人々はそんな彼の性格をうまく把握することができなかった。彼の家族にしても、友だちにしても、つきあった女の子たちにしてもそうだった。彼が心の底で何を考えているのか、誰にもよく理解できなかった。勉強もろくにしないし、それほど頭が良さそうにも見えないのにいつもトップクラスに近い成績を取っていることも謎だった。しかしそのようなとらえどころのなさにもかかわらず、彼のもって生まれた素直な親切さはいろいろな種類の人々をごく自然に彼のまわりにひきつけたし、その結果として彼自身も実に多くのものを得ることができた。年長者にも受けはよかった。しかし大学を出ると、彼はまわりの人々が予想していた一流企業には入らず、誰も名前を聞いたことがないような小さな教材販売会社を就職先に選んだ。大抵の人々はそのことで唖然としたが、彼にはもちろんそれなりの目算があった。彼は三年のあいだセールスマンとして日本中の中学校と高校を巡り、現場の教師や生徒がハード、ソフト両面でどのような教材を求めているかをつぶさに観察した。ひとつひとつの学校がどれだけの予算を教材にあてているかも調べた。リベートのことも覚えた。若い教師たちと酒を飲んで、グチも聞いた。授業も熱心に参観した。そのあいだ営業成績の方ももちろんトップをつづけた。

入社して三年目の秋、彼は新しい教材についてのぶ厚い企画書を書きあげ、社長室に提出した。ヴィデオ・テープとコンピューターを直結し、教師と生徒が共同でソフト製作に参加するという画期的な方式の教育システムだった。技術的な幾つかの問題点を解決しさえすれば、それは原理的には可能なはずだった。

社長が独断でオーケーを出し、彼が中心となったプロジェクト・チームが結成された。そして、その二年後に彼は圧倒的な成功を収めることになる。彼の作りあげた教材システムは高価ではあったが、まるで手が出ないというほどではなかったし、一度売ってしまえばソフトウェア関連のアフターケアで放っておいても彼の会社が潤うという仕組になっていた。

すべては彼の計算どおりだった。それは彼にとっては理想的な規模の会社だったのだ。新しい試みがくだらない官僚的な会議の連続でつぶされてしまうほどの大会社でもなく、かといって資本に不自由するほど小さな会社でもなかった。また経営陣も若く、十分に意欲的だった。

そのようにして彼は30になる前に、実質的には重役の権限を持つようになった。年収は同年代の誰よりも多かった。

29の秋に、彼は二年前からつきあっていた五つ歳下の女性と結婚した。彼女はびっくりするほどの美人というわけではないが、人目をひく程度には美しく、魅力的だった。育ちもよく、誠実で、がつがつしたところがない。性格は素直で、とても綺麗な歯をしていた。第一印象はそれほどでもないが、回をかさねて会うたびに感じのよくなるというタイプの女性だった。彼は結婚を機会に父親の会社から乃木坂にある3LDKのマンションをただ同然の値段で買った。

結婚生活にも何ひとつとして問題はなかった。二人はお互いのことをとても気に入っていたし、共同生活はきわめてスムースに運んだ。彼は働くのが好きだったし、彼女は家事をするのが好きだったし、どちらも遊ぶのはもっと好きだった。何組かの夫婦ものの友だちを選んで、一緒にテニスをやったり食事をしたりもした。そんな友だち夫婦が手放したがっていた中古のMGを実に安い値段で手に入れもした。新型の日本車に比べて車検のたびに余分な金はかかったが、それでもやはり安い買物だった。友だち夫婦の方は子供が生まれたために二人ぶんしか座席のないMGが不要になったわけなのだが、彼ら二人の方は当分のあいだ子供は作るまいと決めていた。二人にとって、人生はまだ始まったばかりに見えたのだ。

もうそれほど若くはない、と彼がはじめて、認識したのは結婚して二年めの春だった。彼はやはり裸で浴室の鏡の前に立ち、自分の体の線が昔とはがらりと変っていることに気づいた。それはまるで他人の形だった。要するに22の歳まで水泳のトレーニングで鍛えあげた肉体の遺産を、彼はその10年間で食いつぶしてしまったのだ。酒・美食・都会生活・スポーツカー・平穏なセックス、そして運動不足が、贅肉という醜悪な形をとって彼の肉体にこびりついていた。あと三年で俺は確実に醜い中年男になってしまうに違いない、と彼は思った。

彼はまず歯医者に行って徹底的な歯の治療をし、それからダイエット・コンサルタントと契約して総合的なダイエット・メニューを作成した。まず糖分が削られ、白米が制限され、脂肪が選別された。酒は過度にさえ飲まなければ制限はなかったが、煙草は十本までとされた。肉食は週に一度と決められた。もっとも何から何までそう狂信的になる必要はないと彼は考えていたので、外で食事をとる時には好きなものを腹八分め食べることにしていた。

運動に関しては自分が何をやるべきなのか彼にはよくわかっていた。体の肉を削るにはテニスとかゴルフとかいった見ばえの良いスポーツは無意味だった。一日20分から30分のきちんとした体操、そして適度のランニングと水泳、それで十分なはずだ。

70キロあった彼の体重は八ヵ月後には64キロにまで減った。たっぷりとたるんでいた腹の肉が落ちて、へその形がはっきりと見えるようになった。頬がそげ、肩幅が広くなり、睾丸の位置が以前より少し低くなった。足が太くなり、口臭が減った。

そして彼は恋人を作った。

相手はあるクラシックのコンサートで隣りの席に座ったことから知りあった九歳下の女性だった。彼女は美人ではなかったが、どこかしら男好きのするところがあった。二人はコンサートのあとで酒を飲み、そして寝た。彼女は独身で旅行代理店に勤めていて、彼の他にもボーイフレンドが何人かいた。彼の方にも彼女の方にも、お互いにこれ以上深入りするつもりはなかった。二人は一ヵ月に一度か二度コンサート会場で待ちあわせ、そして寝た。妻の方はクラシック音楽にはまったく興味を持たなかったので、彼のおだやかな浮気は露見することなく二年つづいていた。

彼はその情事を通じてあるひとつの事実を学ぶことになった。驚いたことに、彼は既に性的に熟していたのである。彼は33歳にして、24歳の女が求めているものを過不足なくきちんと与えることができるようになっていたのである。これは彼にとっての新しい発見だった。彼にはそれを与えることができるのだ。どれだけ贅肉を落としたところで、彼はもう二度と若者には戻れないのだ。

彼はソファーの上に寝そべったまま、その日の最初の煙草に火をつけた。

これが彼にとっての前半の人生、35年ぶんのあちら側の人生だった。彼は求め、求めたものの多くを手に入れた。努力もしたが、運もよかった。彼はやりがいのある仕事と高い年収と幸せな家庭と若い恋人と頑丈な体と緑色のMGとクラシック・レコードのコレクションを持っていた。これ以上の何を求めればいいのか、彼にはわからなかった。

彼はそのままソファーの上で煙草を吸っていた。うまくものを考えることができなかった。彼は煙草を灰皿につっこんで消し、ぼんやりと天井を見上げた。

ビリー・ジョエルは今度はヴェトナム戦争についての唄を歌っている。妻はまだアイロンをかけつづけている。何ひとつとして申しぶんはない。しかし気がついた時、彼は泣いていた。両方の目から熱い涙が次から次へとこぼれ落ちていた。涙は彼の頬をつたって下に落ち、ソファーのクッションにしみを作った。どうして自分が泣いているのか、彼には理解できなかった。泣く理由なんて何ひとつないはずだった。あるいはそれはビリー・ジョエルの唄のせいかもしれなかったし、アイロンの匂いのせいかもしれなかった。10分後に妻がアイロンかけを終えて彼のそばにやってきた時、彼はもう泣きやんでいた。そしてクッションは裏がえしにされていた。彼女は彼の隣りに腰を下ろし、客用の布団を新しく買いかえたいのだけれど、と言った。彼としては客用の布団なんてどうでもよかったから、君の好きなようにすればいいと答えた。彼女はそれで満足した。二人はそれから銀座にでかけて、フランソワ・トリュフォーの新しい映画を観た。二人は結婚前に「野性の少年」を一緒に観たことがあった。新作は「野性の少年」ほど面白くはなかったが、それでも悪くはなかった。

映画館を出ると二人は喫茶店に入り、彼はビールを飲み、彼女はマロン・アイスクリームを食べた。それから彼はレコード店に行ってビリー・ジョエルのLPを買った。閉鎖された鉄工所とヴェトナムの唄が入ったLPだ。それほど感心する音楽とも思えなかったが、それをもう一度聴いてどんな気持がするものなのか、彼は試してみたかったのだ。

「どうしてビリー・ジョエルのLPなんて買う気になったの?」と妻が驚いて訊ねた。

彼は笑って、答えなかった。

＊

カフェテラスの片側の壁はガラス張りになっており、眼下にプールの全景が見下ろせた。プールの天井には細長い天窓がついていて、そこから射しこむ太陽の光が水面に小さく揺れていた。光のあるものは水底にまで届き、あるものは反射して無機的な白色の壁に意味のない奇妙な紋様を描いていた。

上からじっと見下ろしていると、そのプールは少しずつプールとしての現実感を失いつつあるように僕には感じられた。おそらくプールの水が透明すぎるためだろうと僕は思った。プールの水が必要以上に澄んでいるせいで、水面と水底とのあいだに空白の部分が生じているように見えるのだ。プールでは二人の若い女と一人の中年の男が泳いでいたが、彼らは泳いでいるというよりは、まるでその空白の上を静かに滑っているかのようだった。プールサイドには白く塗られた監視台があり、体格の良い若い監視員が退屈そうにプールの水面をぼんやりと眺めていた。

彼はひととおり話し終えると手をあげてウェイトレスを呼び、ビールのおかわりを注文した。僕も自分のぶんを注文した。それからビールがくるまで、二人でまた何ということもなくプールの水面を眺めていた。水底にはコース・ロープと泳者の影が映っていた。

僕と彼はまだ知りあって二ヵ月しかたっていない。我々はどちらもこのスポーツ・クラブの会員で、いわば水泳仲間というところである。僕のクロールの右腕の振りを矯正してくれたのも彼だ。我々は水泳のあと、この同じカフェテラスで冷たいビールを飲みながら何度か世間話をした。あるときお互いの仕事の話になって、僕が小説家だと言うと、彼はしばらく黙りこみ、それからちょっとした話を聞いてもらえないだろうかと言った。

「僕自身の話なんだ」と彼は言った。「どちらかというと平凡な話だと思うし、君はつまらないと思うかもしれない。でもどうしても誰かに聞いてもらいたいとずっと思っていたんだ。自分一人で抱えこんでいると、いつまでたっても納得できそうにないんでね」

　かまわないと僕は言った。彼はつまらない話をくどくどとして相手を迷惑がらせるようなタイプの人間には見えなかった。彼がわざわざ僕に何かを話そうとするのであれば、それは僕がきちんと聞くだけの価値のある話なのだろうと僕は思った。

　そして彼はこの話をした。


「ねえ、君は小説家としてこの話をどう思う？　面白いと思う、それとも退屈だと思う？　正直に答えてほしいんだ」

「面白い要素を含んだ話だと思うな」と僕は注意深く正直に答えた。

彼は微笑んで、首を何度か横に振った。「そうかもしれない。でも僕にはいったいこの話のどこが面白いのかがまるでわからないんだ。僕はこの話の中心にあるある種のおかしみとでもいうべきものがつかめないんだ。そしてそれがもしうまくつかめたとしたら、僕は僕をとり囲んでいる状況をもっときちんと理解することができるような気がするんだ」

「そのとおりだろうね、たぶん」と僕は言った。

「君にはこの話のおかしみがどこにあるのかわかるかい？」と彼は僕の顔をのぞきこむようにして言った。

「わからない」と僕は言った。「でも僕は君の話にはとても面白いところがあると思う。小説家の目をとおしてと言って良ければ。でもいったいこの話のどこが面白いかということは実際に手を動かして原稿用紙に書いてみなきゃわからない。そういうものなんだ。僕の場合には文章にしてみないといろんな物事の姿がうまく見えてこないんだ」

「君の言わんとすることはわかるよ」と彼は言った。

我々はそれからしばらく黙ってそれぞれにビールを飲んでいた。彼はベージュのボタンダウン・シャツの上に淡い緑のカシミヤのセーターを着て、テーブルに頬杖をついていた。すらりとした薬指には銀の結婚指輪が光っていた。僕はその指が魅力的な妻と若い恋人を愛撫している様をちょっと想像してみた。

「その話を書いてみてもいいけれどね」と僕は言った。

「でもどこかにそれを発表しちゃうということになるかもしれないよ」

「かまわないよ、それで」と彼は言った。

「それに発表してくれた方がいいような気もするんだ」

「女の子のことがバレちゃうけれどね、それでもいいかい？」と僕は言った。僕の経験から言って、実在の人物をモデルにした文章はまず百パーセントの確率でまわりの人々にそれと知られることになる。

「いいさ。それくらいのことは覚悟してるよ」と彼はなんでもなさそうに答えた。

「バレてもいいんだね」と僕は念を押した。

彼は肯いた。

「誰かに嘘をつくのは本当は好きじゃないんだ」と彼は別れぎわに言った。「その嘘がたとえ誰一人傷つけないとわかっていても、嘘はつきたくない。そんな風に誰かをだましたり利用したりしながら残りの人生を生きていきたくはないんだ」

僕はそれに対して何か言おうと思ったが、言葉がうまく出てこなかった。彼の言ってることの方が正しいからだった。

僕は今でも時々プールで彼と顔をあわせる。もうこみいった話はしない。プールサイドで天気の話をしたり、最近のコンサートの話をしたりするだけだ。彼が僕のこの文章を読んでどんな風に感じるのか、僕には見当もつかない。

今は亡き王女のための

大事に育てあげられ、その結果とりかえしのつかなくなるまでスポイルされた美しい少女の常として、彼女は他人の気持を傷つけることが天才的に上手かった。

その当時僕は若かったので（まだ二十一か二だった）、僕は彼女のそんな性向をずいぶん不愉快に感じたものだった。今にして思えば彼女はそのように習慣的に他人を傷つけることによって、自分自身をもまた同様に傷つけていたのだろうという気がする。そしてそうする以外に自分を制御する方法が見つからなかったのだろう。だから誰かが、彼女よりずっと強い立場にいる誰かが、彼女の体のどこかを要領よく切り開いて、そのエゴを放出してやれば、彼女もずっと楽になったはずなのだ。彼女もやはり救いを求めていたはずなのだ。

でも彼女のまわりには彼女より強い人間なんて誰一人としていなかったし、僕にしたところで、若い頃はそこまで思いがいかない。ただ単に不快なだけだった。

彼女が何かの理由で——理由なんてまるで何もないということもしばしばだったけれど——誰かを傷つけようと決心したら、どのような王の軍隊をもってしてもそれを防ぐことはできなかった。彼女はその気の毒な犠牲者を衆人環視の中で手際よく袋小路にさそいこみ、壁においつめ、まるでよく茹でたじゃがいもをへらで押しつぶすみたいに、きれいに相手をのした。あとには薄紙程度の残骸しか残らなかった。今思い出しても、あれはたしかにたいした才能だったと思う。

彼女は決して論理的に弁が立つというわけではないのだが、相手の感情的なウィーク・ポイントを瞬時にして嗅ぎあてることができた。そしてまるで何かの野生動物のようにじっと身を伏せて好機の到来を待ち、タイミングを捉えて相手のやわらかな喉笛にくらいつき、引き裂いた。多くの場合彼女の言っていることは勝手なこじつけであり、要領の良いごまかしだった。だからあとになってゆっくり考えてみるとやられた当人もまわりで見ていた我々もどうしてあの程度のことで勝負が決まってしまったのかと首をひねることになるわけだが、要するにその時は彼女にウィーク・ポイントをしっかりとつかまれているから、身動きがとれなくなってしまっているのだ。ボクシングでいう「足のとまった」状態である。あとはもうマットに倒れるしかない。僕は幸いにして彼女からそんな目にあわされることは一度もなかったが、そういった光景は何度となく目にしてきた。それは論争でもなく、口論でもなく、喧嘩ですらなかった。それはまさに血なまぐさい精神的虐殺だった。

僕は彼女のそういう面がひどく嫌だったが、彼女のまわりの男たちのたいていはそれとまったく同じ理由で彼女のことを高く評価していた。「あの子は頭がよくて才能があるから」と彼らは考えていて、そしてそれが彼女のそんな傾向をまた助長していた。いわゆる悪循環というやつだ。出口がない。「ちびくろサンボ」に出てくる三匹の虎みたいに、バターになるまでやしの木のまわりを走りつづけることになる。

グループの中の他の女の子たちが彼女についてその当時どのように考えてどのように評価していたのかは残念ながら僕にはわからない。僕は彼らのグループとはいくぶん距離をおいて、いわばビジターのような資格で関っていたせいで、女の子たちの本音をひきだすほどは誰とも親しくなかったからだ。

彼らはだいたいがスキーの仲間で、三つの大学のスキー同好会のようなものの、そのまた一部分ずつがくっつきあって形成された奇妙な組織だった。彼らは冬休みには長期のスキー合宿をして、それ以外のシーズンには集まってトレーニングをしたり酒を飲んだり、みんなで湘南の海岸に泳ぎにいったりした。人数は全部で十二、三人というところで、みんな小綺麗な格好をしていた。小綺麗で感じがよくて、親切だった。でも今彼らの中の誰か一人をとくべつに思い出してくれと言われても、僕には絶対に思い出せない。彼ら十二、三人は僕の頭で溶けたチョコレートみたいにしっくりと混じりあって、ひとつのイメージとして分離不能になっていて、僕にはもう見わけなんてつかないのだ。もちろん彼女だけはべつだけれど。

僕はスキーにはまったくといっていいくらい興味がなかったのだが、僕の高校時代からの友だちがこのグループに属していて、僕がある事情からこの友だちのアパートに一ヵ月ばかり居候していたという理由で、グループのメンバーと知りあい、そしてそれなりに受け入れられるようになった。麻雀の点数計算ができることもその理由のひとつだったと思うが、とにかく前にも言ったように、彼らは僕に対してとても親切で、スキー旅行にまで僕を誘ってくれたくらいだった。腕立て伏せにしか興味がないといって僕はその申し出を断ったのだが、今になってみるとそんな言い方をしなければよかったと思う。彼らは本当に純粋に親切な人たちだったのだ。実際にスキーよりは腕立て伏せの方がずっと好きだったとしても、あんな風に言うべきではなかったのだ。

僕が同居していた友だちはそもそもの最初から僕の覚えている限りの最後まで、ずっと彼女に夢中だった。たしかに彼女はたいていの男が夢中になってしまうようなタイプの女の子だった。僕だってもう少し違った状況で出会っていれば、一目で彼女に熱をあげていたかもしれないと思う。彼女の美しさを文章で表現するのは比較的簡単な作業である。三つのポイントを押えさえすれば、そのだいたいの特質はカバーできるからである。(a)聡明そうで(b)バイタリティーに充ちていて(c)コケティッシュ、ということだ。

彼女は小柄でやせていたが、素晴しく均整のとれた体をしていて、全身にエネルギーがあふれているように見えた。眼がキラキラと輝いていた。唇は強情そうに一直線にしまっていた。そしていつもはいくぶん気むずかしそうな表情を顔に浮かべていたが、ときどきにっこりと微笑むと、彼女のまわりの空気はまるで何かの奇蹟が起こったみたいに一瞬にしてやわらいだ。僕は彼女の人柄については好感を持って見てはいなかったけれど、それでも彼女の微笑み方だけは好きだった。とにかく何はともあれ好きにならないわけにはいかないのだ。ずっと昔、高校生の頃に英語の教科書で「春に捉えられて」arrested in a springtimeというフレーズを読んだことがあるけれど、彼女の微笑みはちょうどそんな感じだった。いったい誰にあたたかな春の日だまりを批評することができるだろう?

彼女には決まった特定の恋人がいなかったので、グループの中の男が三人ばかり――僕の友だちも当然その中の一人であったわけだが――彼女に熱をあげていた。彼女はとくに相手を誰と決めるわけでもなく、その場その場の状況に応じてうまくその三人の男をあしらっていた。三人の方も、少なくとも表面上は、足をひっぱりあうでもなく礼儀正しく、けっこう楽しそうに生きていて、僕はそのような光景にうまくなじむことができなかったが、結局のところそれは他人の問題であって、僕とは関係がなかった。僕がいちいち口を出すことではないのだ。

僕は一目見たときから、彼女が苦手だった。僕は僕なりにスポイルされることについてはちょっとした権威だったので、彼女がどれくらいスポイルされて育ってきたか手にとるようにわかった。甘やかされ、ほめあげられ、保護され、ものを与えられ、そんな風にして彼女は大きくなったのだ。でも問題はそれだけではなかった。甘やかされたり小遣い銭を与えられたりという程度のことは子供がスポイルされるための決定的な要因ではない。いちばん重要なことはまわりの大人たちの成熟し屈曲した様々な種類の感情の放射から子供を守る責任を誰がひきうけるかというところにある。誰もがその責任からしりごみしたり、子供に対してみんなが良い顔をしたがるとき、その子供は確実にスポイルされることになる。まるで夏の午後の砂浜で強い紫外線に裸身をさらすように、彼らのやわらかな生まれたばかりのエゴはとりかえしのつかないまでの損傷を受けることになる。それが結局はいちばんの問題なのだ。甘やかされたりふんだんに金を与えられたりというのは、あくまでそれに付随する副次的な要素にすぎない。

最初に顔を合わせて二言三言ことばを交わし、そのあとしばらく彼女の言動を見ているだけで、僕は正直なところ、すっかりうんざりしてしまった。たとえその原因が彼女以外の誰かにあるとしても、彼女はそんな風になるべきではなかったのだ、と僕は思った。たとえ人間のエゴが多少の差こそあれ本質的には奇型であると定義できたとしてもだ。それでも彼女は何かしらの努力をするべきだったのだ。それで僕はその時以来、彼女を避けるというのではないのだけれど、必要以上に彼女に近づくまいと決心した。

人から聞いた話だと、彼女は石川県だかどこかそのあたりの、江戸時代からつづいている有名な高級旅館の娘だということだった。兄が一人いたが、年がずいぶん離れていたので、一人っ子のように大事に育てられた。成績もずっとトップクラスで、おまけに美人だったので、学校ではいつも先生にかわいがられ、同級生には一目置かれる存在だったらしい。彼女から直接聞いた話ではないからどこまでが本当のことかは不明なわけだが、まあありそうな話だ。それから小さい頃からずっとピアノを習っていて、こちらの方も相当なレベルにまで達していた。僕は誰かの家で一度だけ彼女の弾くピアノを聴いたことがある。僕はそれほど音楽にくわしいわけではないので、演奏のエモーショナルな深みということになるともうひとつ判断がつきかねるのだが、音のタッチはおどろくほど鋭かったし、少なくとも音符を間違えなかった。

そんなわけで、まわりのみんなは当然彼女が音楽大学に入ってプロ・ピアニストの道を歩むだろうと考えていたのだが、予想に反して彼女はあっさりとピアノを捨て、美術大学に入学した。そして着物のデザインと染色の勉強をはじめた。それは彼女にとってはまったくの未知の分野だったが、小さい頃から古い着物に囲まれて育ったことで身についた経験的な勘にも助けられて、彼女はその方面でも人目をひくほどの才能を発揮した。要するにどの道に進んでも、それなりに人並以上にこなしてしまうというタイプだった。スキーもヨットも水泳も、何をやらせても彼女は上手かった。

そういったようなわけで、まわりの誰も彼女の欠点をうまく指摘することができなくなってしまっていた。彼女の非寛容さは芸術家気質と見なされ、ヒステリックな性向は人並外れて鋭敏なセンシビリティーとして捉えられた。そのようにして彼女は一座のクイーンとなった。彼女は父親が税金対策の一環として根津に持っていた2LDKの瀟洒《しょうしゃ》なマンションに住み、気が向けばピアノを叩きそして洋服ダンスには新しい洋服がぎっしりとつまっていた。彼女が手を叩きさえすれば（というのはもちろん比喩的な表現であるわけだが）、たいていのことは何人かの親切なボーイフレンドが片をつけてくれた。何人かの人々は彼女は将来その専門の分野で相当な成功を収めるだろうと信じていた。その当時彼女の歩みを妨げるものは何ひとつとして存在しないように思えた。一九七〇年か七一年か、そのあたりのことだ。

僕は変ないきがかりから一度だけ彼女を抱いたことがある。抱いたといってもセックスをしたわけではなく、ただ単に物理的に抱いただけだ。要するに酔払って雑魚寝《ざこね》をしていて、気がついたら隣りにたまたま彼女がいたというだけのことなのだ。よくある話だ。でも僕はその時のことを今でも奇妙なくらいはっきりと覚えている。

僕が目をさましたのは夜中の三時で、ふと隣りを見ると、彼女は僕と同じひとつの毛布にくるまって気持良さそうに寝息をたてていた。それは六月のはじめで雑魚寝には絶好の季節だったが、敷布団なしにじかに畳の上に横になっていたせいで、いくら若いとはいえ体の節々が痛んだ。おまけに彼女は僕の左腕を枕がわりにしていたから、体を動かそうにも動かせなくなってしまっていた。ひどく喉が渇いて気が狂いそうだったが頭を払いのけるわけにもいかないし、かといってそっと首を抱きあげてそのあいだに腕をどかせるというわけにもいかなかった。そんなことをしている最中に彼女が目をさまして、その結果僕の行為が変な風に誤解されでもしたら、僕としてはたまったものではないからだ。

結局少し考えてから、僕は何もせずにしばらくのあいだ状況の変化を待つことにした。

そのうちに彼女も寝がえりを打つかもしれない。そうすれば僕はすばやく腕をひっこめて、水を飲みにいけばいいのだ。でも彼女はぴくりとも動かなかった。僕の方に顔を向けて、規則正しい呼吸をくりかえしているだけだった。僕のシャツの袖は彼女の寝息であたたかく湿っていて、それが妙にくすぐったく感じられた。

十五分か二十分僕はそのまま待ちつづけたと思う。それでも彼女は動かなかったので、結局僕は水を飲むのはあきらめることにした。喉の渇きは耐えがたかったが、今ここで水を飲まなければ死ぬというわけでもないのだ。僕は左腕を動かさないように注意しながら苦労して首を曲げ、枕もとに転がっていた誰かの煙草とライターをみつけ、右手をのばしてひっぱりよせた。そして、そんなことをすれば余計に喉が渇くことはわかりきっていたのだが、煙草を一本吸った。

でも実際に煙草を吸い終って、その吸殻を手ぢかにあったビールの空缶につっこんで消してしまうと、不思議なことに喉の渇きの苦しさは煙草を吸う前よりはるかに軽減されていた。それで僕はひと息ついて目を閉じ、もう一度眠りにつこうと努力した。アパートの近くを高速道路が走っていて、そこを往き来する深夜トラックの押しつぶされたように偏平なタイヤ音が、薄いガラス窓の向うから部屋の空気をかすかに揺らせ、何人かの男女の寝息と軽いいびきがそれに入りまじっていた。そして夜中に他人の部屋で目をさましたたいていの人間が考えるのと同じように、僕も〈俺はいったいこんなところで何をしているのだ〉と考えた。ほんとうに何の意味もない、まったくのゼロなのだ。

女の子との関係が妙にこじれたせいで下宿を追いだされる羽目になって、それで友だちのアパートに転がりこむことになり、スキーもやらないくせにわけのわからないスキー仲間のグループに受け入れられ、あげくのはてにどうにも好きになれない女の子に腕枕をしてやることになるなんて、考えるだけで気が滅入った。こんなことをしているべきではないのだと僕は思った。でもだからといって何をすれば良いのかという段になると、僕にはそれはそれで何ひとつとして展望がなかった。

眠るのをあきらめてもう一度目を開け、天井からぶらさがった蛍光灯をぼんやり眺めていると、僕の左腕の上で彼女が体を動かした。でも彼女はそれで僕の左腕を解放してくれたわけではなかった。逆に彼女はまるで僕の内側にすべりこむような格好で、僕の体にぴったりと体をつけてきた。彼女の耳が僕の鼻先にあり、消えかかった前夜のオーデコロンとかすかな汗の匂いがした。軽く折りまげられた彼女の脚が僕のももにかかっていた。寝息は前と同じように、安らかで規則的だった。あたたかい息が僕の喉にかかり、わき腹の上のあたりで彼女のやわらかな乳房がそれにあわせて上下していた。彼女はジャージーのぴったりしたシャツにフレア・スカートをはいていたので、僕は彼女の体の線をはっきりと感じとることができた。

それはどうにも妙な具合だった。それが他の場合で、相手が他の女の子だったとしたら、僕はけっこうそういった立場を楽しむことができたんじゃないかと思う。でも彼女が相手ということで、僕はひどく混乱していた。正直なところ、僕はそんな状況にいったいどんな風に対処すればいいのか、見当もつかなかった。どんな風にしても、僕の置かれた立場の馬鹿馬鹿しさは救いようがないような気がした。おまけにもっと具合の悪いことには、僕のペニスは彼女の脚にぴたりとくっついたまま硬くなりはじめていた。

彼女はずっと同じ調子で寝息を立てていたが、それでもおそらく僕のペニスの形態の変化を彼女はちゃんと把握していたのだろうと僕は思う。彼女は少しあとで、それがまるで眠りそのものの延長であるかのようにそっと腕をのばして僕の背中にまわし、僕の腕の中で小さく体の向きをかえた。おかげで彼女の乳房はもっとしっかりと僕の胸におしつけられ、僕のペニスは彼女のやわらかい下腹におしつけられることになった。状況はずっと悪い方向に進んでいた。

僕はそういった状況に追いこまれたことについて彼女に対してそれなりに腹を立ててはいたが、それと同時に美しい女を抱くという行為の中にはある種の人生のぬくもりのようなものが含まれていて、そういったぼんやりとしたガス状の感情が、既に僕の体をすっぽりとくるんでいた。僕はもうどこにも逃げだせなくなっていた。彼女も僕のそんな精神状況をちゃんと感じとっていて、僕はそのことでまた腹を立てたわけだが、膨張したペニスの有するあの奇妙にアンバランスなおかしみの前では僕の腹立ちなど、もはや何の意味も持たなかった。僕はあきらめて、あいた方の腕を彼女の背中にまわした。それで我々はしっかりと抱き合う格好になった。

しかしそんな風になっても、我々はどちらも、まだぐっすりと眠ったふりをしていた。僕は彼女の乳房を胸に感じ、彼女は僕の硬いペニスの感触をへその少し下あたりに感じながら、我々は長いあいだじっとしていた。僕は彼女の小さな耳と危いくらいにやわらかな髪のはえぎわを見つめ、彼女は僕の喉を見つめていた。我々は眠ったふりをしながら互いに同じようなことを考えていた。僕は彼女のスカートの中に指をすべり込ませることを考えていたし、彼女は僕のズボンのジッパーをはずしてあたたかいつるつるとしたペニスに手を触れることを考えていた。不思議なことに我々は、お互いの考えていることを手にとるように感じとることができた。それはとても奇妙な感覚だった。彼女は僕のペニスのことを考えていた。彼女の考える僕のペニスはまるで僕のペニスではなく、誰か他の男のペニスのように感じられた。でもそれはとにかく僕のペニスだった。僕は彼女のスカートの中の小さな下着と、その中に包まれたあたたかなヴァギナのことを考えた。彼女も僕の考える彼女のヴァギナについて、僕が彼女の考えるペニスについて感じるのと同じように感じていたのかもしれない。それとも女の子というのはヴァギナに対して、我々がペニスに対して感じるのとはまったく違った感じ方をするのかもしれない。そのあたりのことは僕にはよくわからない。

でもずいぶん迷った末に、僕は彼女のスカートの中に指をのばさず、彼女は彼女で僕のズボンのジッパーをはずさなかった。それを抑制するのはその時はとても不自然なことのように感じられたのだが、結局はそれでよかったのだと思う。もしこれ以上に状況を押しすすめていたとしたら、我々はのっぴきならない感情の迷路に追い込まれることになるんじゃないかという気がしたのだ。そして僕がそう感じていることを彼女も感じとった。

我々は同じ姿勢のまま三十分ばかり抱きあい、それから朝の光が部屋の隅々までくっきりと照らしだすころになって、体を離して眠った。体を離しても、僕のまわりにはまだ彼女の肌の匂いが漂っていた。

それ以来、僕は一度も彼女に会っていない。僕は郊外にアパートをみつけて引越し、そのままその奇妙なグループとは疎遠になってしまったからだ。もっとも奇妙とはいってもそれはあくまで僕の考え方であって、彼らは自分たちが奇妙かもしれないと考えたことなんて一度もないだろうと思う。彼らにしてみれば、僕の存在の方がよほど奇妙にうつったことだろう。

僕をしばらくのあいだ居候させてくれた親切な友人とはその後何度か会ったし、そのときは当然彼女の話も出たはずなのだが、どんな話をしたのかよく思い出せない。おそらくあいかわらずの変りばえしない話だったせいだろう。大学を出るとその友人も関西に戻ってしまい、顔を合わせることもなくなってしまった。そしてそれから十二年か十三年が過ぎ去り、僕もそれにあわせて年をとった。

年をとることの利点のひとつは好奇心を抱く対象の範囲が限定されることで、僕も年をとるにつれて、奇妙な種類の人々に関りあう機会は昔に比べてずいぶん少なくなってしまった。ときどきふとしたきっかけで、昔出会ったそういう人々のことを思い出すことがあるが、それはちょうど記憶の端にひっかかっている断片的な風景と同じで、僕にはもう何の感興も呼び起こさない。べつに懐かしくもないし、べつに不快でもない。

ただ何年か前にふとした偶然で、彼女の夫という人物に会って話をしたことがある。彼は僕と同い年で、あるレコード会社のディレクターの仕事をしていた。背が高く、物静かで、なかなか感じの良い人物だった。髪のはえぎわが、まるで競技場の芝生みたいにきれいな直線に揃っていた。僕は仕事の都合で彼と会ったのだが、必要な話が終ると彼は「女房が以前村上さんのことを存じあげていたそうですよ」と僕に言った。そして彼女の旧姓を言った。その名前と彼女の存在とがしばらく頭の中で結びつかなかったが、大学の名前とピアノのことを聞いて、僕はやっとそれが彼女であることに思い至った。

「覚えています」と僕は言った。

そのようにして、僕は彼女のその後の軌跡を知ることになったのだ。

「村上さんのことは雑誌のグラビアか何かで見かけて、それですぐにわかったんだそうです。懐かしがっていましたよ」

「僕も懐かしいですね」と僕は言った。しかし僕は彼女が僕のことを覚えているとは思わなかったので、実のところ懐かしいというよりはいささか不思議な気持がした。考えてみれば僕と彼女が顔を合わせていた時期は本当に短いものだったし、直接口をきいたことさえ殆んどなかったのだ。思いもよらないところに自分の古い影がとどまっているというのは考えてみればなんだか不思議なものだった。僕はコーヒーを飲みながら、彼女のやわらかい乳房と髪の匂いと僕の勃起したペニスのことを思い出した。

「魅力的な人でしたね」と僕は言った。「お元気ですか？」

「そうですね、まずまずというところです」と彼は言葉を選ぶようにゆっくりとしゃべった。

「どこか具合が悪かったんですか？」と僕は訊ねてみた。

「いや、べつにとくに体を壊したというわけではないんですが、まあ、あまり元気とも言えない時期が何年かありましてね」

いったいどこまで質問していいものか判断できなかったので、僕は曖昧に肯くだけにしておいた。それに正直なところ、僕はその後の彼女の運命をどうしても知りたいと希求していたわけでもなかったのだ。

「こういう物の言い方ではどうも要領を得ないでしょうね」と彼は口もとに微笑を浮かべながら言った。「でもどうもうまく順序立ててしゃべりにくいところがありましてね。正確に言うと、彼女はかなり元気になっています。少なくとも以前よりはずっと元気ですね」

僕はコーヒーの残りを飲み干し、それからどうしたものか少し迷ってからやはり思い切って質問してみることにした。

「こういう立ち入ったことをうかがうのは失礼かもしれませんが、彼女のことで何かがあったんですか？　お話をうかがっていると、どうももうひとつしっくりとこないところがあるんですが」

彼はズボンのポケットからマルボロの赤いパックをとりだして火をつけて吸った。ヘビースモーカーらしく、右手の人指し指と中指の爪が黄色く変色していた。彼はしばらくそんな自分の指先を見ていた。「かまいませんよ」と彼は言った。「べつに世間にかくしているわけでもないし、それほど具合の悪いことでもないんです。ただの事故みたいなもんです。でもまあ、場所を変えて話しましょう。その方が良いでしょう」

我々は喫茶店を出て夕暮の街をしばらく歩き、地下鉄の駅の近くにある小さなバーに入った。いつもの行きつけの店らしく、彼はカウンターの端に座ると手慣れた口調で大型のグラスに入れたスコッチ・ウィスキーのダブルのオン・ザ・ロックとペリエの瓶を注文した。僕はビールを頼んだ。彼はオン・ザ・ロックの上にペリエ水をほんの少しだけ注ぎ、簡単にかきまわし、一口でグラスの半分ばかり飲んだ。僕はビールにちょっと口をつけただけで、あとはグラスの中の泡の行方を眺めながら、相手の話を待った。彼はウィスキーが食道をつたって下りて、きちんと胃袋の中に収まるのを見とどけてから話を始めた。

「結婚してから十年ほどになります。はじめて知りあったのはスキー場です。僕は今の会社に入って二年めで、彼女は大学を出て何をするということもなくぶらぶらとしていて、ときどきアルバイトに赤坂のレストランでピアノを弾いていました。それでとにかく我々は結婚しました。結婚には何の問題もありませんでした。彼女の家も僕の家も、どちらも結婚には賛成してくれました。彼女はとても美しくて、僕は彼女に夢中でした。要するに、どこにでもある平凡な話です」

彼は煙草に火を点け、僕はビールにまた口をつけた。

「平凡な結婚です。でも僕はそれで十分に満足していました。結婚前に彼女に恋人が何人かいたことは知っていましたが、それはべつに僕としてはたいしたことではありませんでした。僕はどちらかというととても現実的な人間で、もし何か過去に不都合があったとしても、現実にそれが害を及ぼさぬ限り、気にすることはまずありません。それから人生というものは本質的に平凡なものだと考えています。仕事も結婚生活も家庭も、もしそこに何かの面白みがあるとしたら、それは平凡であることの面白みです。僕はそう思います。でも彼女はそんな風には考えませんでした。それでいろんなことが少しずつ狂い始めたんです。もちろん僕には彼女の気持がよくわかりました。彼女はまだ若くて美しくてエネルギーに充ちていました。簡単に言えば彼女は習慣的に様々なものを他人に向って求め、それを与えられることに慣れていました。でも僕が彼女に与えることができるものは種類も量も非常に限られたものでした」

彼はオン・ザ・ロックのおかわりを注文した。僕の方はまだビールが半分残っていた。

「結婚して三年後に子供が産まれました。女の子です。僕がこんなことを言うのもなんだけど、とてもかわいい女の子でした。生きていればもう小学生です」

「亡くなったんですか？」と僕は口をはさんだ。

「そういうことです」と彼は言った。「生まれて五ヵ月めに死にました。よくある事故です。子供が寝がえりを打ったときに、掛布が顔にからまって、それで息がつまって死んだんです。誰のせいでもありません。単なる事故です。運が良ければ防げたかもしれない。でも結局は運が悪かったんです。誰を責めることもできません。何人かの人間は彼女が赤ん坊を一人で放りっぱなしにして買物にでかけていたことを責めたし、彼女自身もそのことで自分を責めました。でもそれは運なんです。僕やあなたが同じような状況で子供の面倒を見ていたとしても、事故は同じような確率で起こっただろうと思います。そう思いませんか？」

「たぶんそうでしょうね」と僕は認めた。

「僕はさっきも言ったようにとても現実的な人間です。それから人が死ぬということに対しても、小さい頃から十分に慣れています。僕の家はどういうわけか事故死の多い家系でしてね、いつも何かしらそういうことはあったんです。だから子供が親より先に死ぬというのは、とくに珍しいことではありませんでした。そりゃ親にとって子供を失《な》くすくらい切ないことはありません。こればかりは経験したことのない人にはわかりません。でもそれでも、いちばん大事なのはあとに残された生きている人間だと僕は思います。僕はずっとそんな風に思って生きてきたんです。だから問題は僕の気持ではなくて、彼女の気持の方でした。彼女はそういう感情的な訓練を一度も受けたことがなかったんです。彼女のことは御存じでしょう?」

「ええ」と僕は簡単に言った。

「死というのは極めて特殊なできごとです。僕はときどき人の生は、かなり大きな部分を他の誰かの死のもたらすエネルギーによって、あるいは欠損感と言ってもいいんですが、そういうものによって規定されているんじゃないかと感じることがあります。でも彼女はそういったことに対してあまりにも無防備でした。要するに」と言って彼はカウンターの上で両手をあわせた。

「彼女は自分のことだけを真剣に考えることに慣れきっていたんです。それのおかげで、他人の不在がもたらす痛みというものを、彼女は想像することさえできなくなっていたんです」

彼は笑って僕の顔を見た。

「結局のところ、彼女はスポイルされきっていたんです」

僕は黙って肯いた。

「でも僕は……うまい表現が思いつけないな、とにかく僕は彼女を愛していました。たとえ彼女が彼女自身や僕やまわりの何もかもを傷つけまわったとしても、僕は彼女を手放す気はありませんでした。夫婦というのはそういうものです。結局そのあとの一年ばかり果てしのないゴタゴタがつづきました。救いのない一年でした。神経もすり減らしたし、将来の見とおしといってもなにひとつとしてありませんでした。でも結局、我々はその一年を乗り切りました。我々は赤ん坊の存在に結びつく全てのものを焼き捨て、新しいマンションに越しました」

彼は二杯目のオン・ザ・ロックを飲み干し、気持良さそうに深呼吸をした。

「たぶん今の家内にお会いになってもうまく見わけがつかないんじゃないかと思いますよ」と彼は正面の壁をじっと睨みながら言った。

僕は黙ってビールを飲み、ピーナツをつまんだ。

「でも僕は個人的には今の家内の方が好きです」と彼は言った。

「もう子供は作らないんですか？」と僕はしばらくあとで訊ねた。

彼は首を振った。「たぶん駄目でしょうね」と彼は言った。「僕の方はともかく、家内はそんな状態じゃあないんです。それはそれで僕としてはどちらでもいいんですが」

バーテンダーが彼にウィスキーのおかわりを勧めたが、彼はきっぱりと断った。

「そのうちに女房に電話をしてやって下さい。彼女にはたぶんそういった刺激が必要だと思うんです。だってまだ人生は長いですからね。そう思いませんか？」

彼は名刺の裏にボールペンで電話番号を書いて僕に渡してくれた。おどろいたことに市外局番から見ると、彼らは僕と同じ区域に住んでいた。しかしそれについて僕は何も言わなかった。

彼が勘定を払い、我々は地下鉄の駅でわかれた。彼は仕事の残りを片づけるために会社に戻り、僕は電車に乗って家に戻った。

僕はまだ彼女に電話をかけてはいない。彼女の息づかいと肌のぬくもりとやわらかな乳房の感触はまだ僕の中に残っていて、そのことで僕はまだ十四年前のあの夜と同じように、どうしようもなく混乱しているのだ。

嘔吐1979

彼は長い期間にわたって一日も欠かすことなく日記をつけることができるという稀有な能力を身につけた数少ない人間の一人だったので、自分の吐き気がいつ始まっていつ終ったかという正確な日付けをきちんと引用することができた。彼の吐き気は1979年6月4日（晴）にはじまり、同年の7月14日（くもり）に終っていた。彼は若手のイラストレーターで、一度だけ僕とくんである雑誌の仕事をしたことがあった。

僕と同じように彼は古いレコードのコレクターで、それから友だちの恋人や奥さんと寝るのが好きだった。年は僕よりたしか二つ三つ下である。彼はじっさい、それまでの人生の中で何人もの友だちの恋人や奥さんと寝ていた。友だちの家に遊びにいって、その友だちが近所の酒屋にビールを買いにいったり、シャワーを浴びたりしているあいだに、その奥さんとセックスを済ませたこともあった。彼はよくそんな話を僕にしてくれた。

「急いでセックスをするのって、なかなか悪くないもんです」と彼は言った。「ほとんど服を着たままでなるべく早くさっと済ませちゃうんです。世間一般のセックスっていうのはだんだん長びく傾向にあるでしょ？　だからたまにはその逆をいくんです。ひとつ視点を変えてみるだけで、ずいぶん楽しいものですよ」

　もちろんそのような軽業《トウール・ド・フォース》的なセックスばかりではなく、ゆっくりと時間をかけたまともな性行為を楽しむことだってある。彼はとにかく友だちの恋人や奥さんと寝るという行為そのものが好きなのだ。

「べつに寝取るとかそういう屈折した思いは僕にはないんです。彼女たちと寝ると、僕はすごく親しい気分になれるんです。要するに家庭的な気分ですね。だってそれはただのセックスですものね。ばれなければ誰を傷つけるというものでもないし」

「これまでにばれちゃったことはないの？」

「ないですよ、もちろん」と彼はいくぶん心外そうに言った。「そういう種類の行為というのは、こちらに露顕させたいという潜在願望さえなければそんなに露顕するものじゃないんですよ。きちんと注意して、思わせぶりなことを言ったりやったりさえしなければね。それからいちばん最初に基本方針をはっきりさせておくことが大事なんです。つまりこれは単なる親しみをこめたゲームのようなものであって、深入りするつもりもないし、誰かを傷つけるつもりもないっていうことですね。もちろん言うまでもなくもっと遠まわしにことばを選んで説明するわけですが」

僕としてはそんなことが彼の言うように何から何までうまく機能するとはどうも信じられなかったけれど、彼はホラを吹いて自慢するような人物にはみえなかったから、あるいはそれは彼の言うとおりなのかもしれない。

「結局のところ彼女たちの大部分はそれを求めてるんです。彼女たちの夫や恋人――というのはつまり僕の友だちであるわけなのだけれど――の多くは僕なんかよりずっと立派な人物なんです。僕よりハンサムだし、僕より頭がいいし、あるいは僕よりペニスが大きかったりするかもしれない。でもそんなことは彼女たちにとってはどうでもいいことなんです。彼女たちにとっては相手がある程度まともで、親切で、気心が知れていさえすれば、それでオーケーなんです。彼女たちの求めているのは、恋人とか夫婦とかいったある意味ではスタティックな枠組をこえて、きちんとかまってもらうことなんです。それが基本的な原則なんです。もちろん表層的な動機は様々ですがね」

「たとえば？」

「たとえば夫が浮気したことに対する意趣がえしであるとか、退屈しのぎとか、自分がまだ夫以外の男にかまわれることへの自己満足とかね。そういうことです。僕はそういうのが、相手の顔を見ただけでだいたいわかるんです。ノウハウとかそういうのは何もありません。これぱかりは本当の生まれつきの能力です。ある人にはあるし、ない人にはないんです」

彼自身には決まった恋人はいない。

前にも言ったように我々はレコードのコレクターで、ときどきお互いのレコードを持ちよってトレードをする。我々はどちらも50年代から60年代前半にかけてのジャズ・レコードのコレクションをしているわけだが、お互いにコレクションする対象エリアが微妙にずれているので、取引が成立するわけだ。僕はウェスト・コーストの白人のバンドのものが中心だし、彼はコールマン・ホーキンズだとかライオネル・ハンプトンといった中間派に近いものの後期のレコードを集めている。だから彼がピート・ジョリー・トリオのビクター盤を持っていて、僕がヴィック・ディッケンソンの「メインストリーム・ジャズ」を持っていたりすると、そのふたつは双方の合意のもとにめでたく交換されることになる。二人でビールを飲みながら一日かけて盤質や演奏をチェックし、そのような商取引をいくつか成立させるわけである。

彼が僕にその吐き気の話をしてくれたのはそんなレコード交換会のあとだった。我々は彼のアパートでウィスキーを飲みながら音楽の話をし、それから酒の話をし、酒の話から酔払う話になった。

「僕は昔、毎日つづけて四十日間吐きつづけたことがあるんです。毎日。一日も欠かさずにです。とはいっても酒を飲んで吐いたわけじゃないんです。体の具合が悪かったというのでもない。何の原因もなくただ吐くんです。それが四十日もつづいたんです。四十日ですよ。ちょっとしたもんですよ」

いちばん最初に彼が吐いたのは6月4日だったが、この嘔吐に関しては、彼が文句をつける筋合はあまりなかった。前の日の夜、彼は相当量のウィスキーとビールを胃の中に流しこんでいたからだ。そして例によって、友だちの奥さんと寝た。つまり1979年6月3日の夜だ。

だから6月4日の朝の8時に彼が胃の中のものをありったけ便器の中に吐いたとしても、それは世間一般の常識とてらしあわせてとりたてて不自然な出来事というわけでもなかった。酒を飲んで吐くなんていうことは大学を出て以来はじめてだったけれど、だからといってそれがすなわち不自然な出来事ということにはならない。彼はレバーを押してその不快な嘔吐物を下水に押しやり、机の前に座って仕事をはじめた。体の調子は悪くなかった。どちらかといえば爽快な部類に属する一日だった。仕事はうまい具合に捗ったし、昼前にはきちんと腹も減った。

　昼飯にハムとキュウリのサンドウィッチを作って食べ、ビールを一缶飲んだ。その三十分後に二度めの吐き気がやってきて、彼はサンドウィッチを全部、また便器の中に吐いた。ぐしゃぐしゃになったパンやハムが水の上に浮かんだ。それでも体には不快感はなかった。気分が悪いというのではない。ただ吐くだけなのだ。喉の奥に何かがつまっているような気がしてそれでちょっと試すようなつもりで便器の上にかがんでみると、胃の中の何もかもが、奇術師が帽子から鳩とかうさぎとか万国旗とかをひっぱりだすみたいに、ずるずると出てきてしまうのだ。それだけだった。

「嘔吐というのは僕は無茶飲みをした学生時代に何度も経験してきました。乗りもの酔いをしたこともあります。でもそのときの嘔吐というのは、そんなのとはぜんぜん違うものなんです。嘔吐独特の胃がしめつけられるようなあの感覚さえないんです。胃が何の感興もなく食べものを上に押しあげているだけなんです。ひっかかりというものがまるでないんです。不快感もなく、ムッとする臭いもない。それで僕はとても変な気分になりました。一度ならず二度ですからね。でもとにかく僕は心配だったからしばらくのあいだ一切のアルコールを口にしないことに決めました」

しかし三度目の嘔吐は翌日の朝にちゃんとやってきた。彼の胃から前夜に食べた鰻ののこりと、朝食に食べたママレードつきのイングリッシュ・マフィンがほとんど丸ごと出てきた。

嘔吐したあとバスルームで歯をみがいていると電話のベルが鳴り、彼が出ると男の声が彼の名前を告げて、そして電話はぷつんと切れた。たったそれだけだった。

「君が寝た相手の御主人か恋人だかのいやがらせの電話じゃないのかい」と僕は言ってみた。

「まさか」と彼は言った。「連中の声ならみんな知っています。それは絶対に僕がそれまで耳にしたことのない男の声でした。とても嫌な雰囲気の声の電話でした。結局その電話はそれから毎日かかってきました。6月5日から7月14日までです。どうです? 僕の吐き気の期間とほとんど一致するでしょう?」

「でもいたずら電話と吐き気がどこで関連しているのか、僕にはさっぱりわからないな」

「僕にだってそんなのわかりませんよ」と彼は言った。「だからこそ僕はいまだにそのことで混乱してるんです。とにかく電話はいつも同じ調子でした。ベルが鳴って、僕の名前を言って、それでぷつんと切れるんです。毎日一度電話はかかってきました。時間はでたらめです。朝にかかってくることもあるし、夕方にかかってくることもあるし、真夜中ってこともありました。ほんとうは電話になんて出なきゃいいんでしょうが、仕事の性質上そういうわけにもいかないし、女の子からだってかかってくることだってあるし……」

「まあね」と僕は言った。

「それと平行して吐き気の方も一日も休むことなくつづきました。食べたもののあらかたは吐いちゃったと思います。吐いちまうとひどく腹が減って、飯を食べて、それをまたすっかり吐いちまうんです。悪循環ですね。それでも平均すると三食に一食くらいは吐かずにうまく消化することができましたから、それでかろうじて命脈を保っていたようなわけです。もし三食を三食とも吐いちゃったりしたら、それこそ点滴でもしなきゃやたすからないところですものね」

「医者にはいかなかったの？」

「医者ですか？　もちろん近所の病院に行きましたよ。わりにちゃんとした総合病院です。レントゲンを撮ったり尿検査もしたりしました。癌の可能性もあるんで一応調べてもみました。でも何ひとつ悪いところなんてないんです。健康そのものです。結局は胃の慢性疲労かあるいは精神的なストレスだろうってことになり、胃の薬をもらってきました。早寝早起きをして酒を控え、つまらないことでくよくよしないようにって言われました。でも馬鹿言っちゃいけません。胃の慢性疲労のことなら僕だってよく知ってます。胃が慢性疲労になってそれに気がつかない人間がいるとしたら、そいつはまったくの阿呆です。慢性疲労というのは胃が重くなったり、胸やけがしたり、食欲がなくなったりするんです。もし嘔吐があるとしても、それはそれらの症状のあとにやってくるものです。吐き気だけが独立してのこのこやってきたりはしません。僕は嘔吐するだけで、それ以外の症状は何もないのです。腹が始終減っていることをべつにすれば、気分は至極良いし、頭だってはっきりしてました。

それからストレスのことだって、僕にはまるで身に覚えがないんです。そりゃもちろん仕事はけっこうつまってはいました。でもだからといってバテちゃうほどじゃありません、女の子のことも申しぶんなく上手く行っていました。三日に一度はプールにいってたっぷり泳いだし……ねえ、いうことないと思いませんか？」

「そうだなあ」と僕は言った。

「ただ吐いちゃうだけなんです」と彼は言った。

二週間彼は吐きつづけ、電話のベルは鳴りつづけた。十五日めに彼はどちらにもうんざりして仕事を放り出し、嘔吐はともかく電話からだけでも逃げだそうとホテルに部屋を取って、そこで一日TVを見たり本を読んだりして過すことに決めた。はじめのうち、それは上手くいきそうに見えた。彼は昼食のロースト・ビーフ・サンドとアスパラガスのサラダをうまくクリアした。環境が変ったことが良く作用したのか、それはきちんと彼の胃におさまり、やがてそのまままきれいに消化されていった。三時半にはホテルのティールームで親友の恋人と待ちあわせ、チェリー・パイをブラック・コーヒーと一緒に胃の中へ送りこんだが、これも上手くいった。それから彼はその親友の恋人と寝た。セックスに関しても何ひとつ問題はなかった。彼女を送りだしたあと、夕食を彼は一人で食べた。ホテルの近所の料理屋で豆腐と鰆の西京焼と酢のものと味噌汁で、ごはんを一杯食べた。あいかわらずアルコールは一滴も口にしなかった。それが六時半だった。

それから彼は部屋に戻り、TVでニュースを見て、それが終るとエド・マクベインの「87分署」の新作を読みはじめた。九時になっても嘔吐はやってこなかったので、彼はやっと一息つくことができた。二週間ぶりの満腹感を彼はゆっくりと心ゆくまで味わうことができた。たぶんこのまま物事は良い方向に進み行き、すべての状況はもとどおりに復することになるのではないか、と彼は期待した。彼は本を閉じてTVのスウィッチを入れ、しばらくリモコンでチャンネルを探してから、古い西部劇を観ることにした。映画は十一時に終り、それから最後のニュースがあった。ニュースが終ると彼はスウィッチを切った。ひどくウィスキーが飲みたくて、よほどそのまま階上のバーに行って寝酒をひっかけようかとも思ったが、やはり思いなおしてやめた。せっかくのきれいな一日をアルコールで汚してしまいたくなかったのだ。彼はベッドの読書灯を消し、毛布の中にもぐりこんだ。電話のベルが鳴ったのは真夜中だった。目を開けて時計を見ると、時刻は二時十五分だった。はじめのうち彼はねぼけていて、どうしてそんなところでベルが鳴っているのか、どうしても理解することができなかった。それでも彼は頭を振ってほとんど無意識のうちに受話器を手にとり、それを耳につけた。

「もしもし」と彼は言った。

聞きなれた声がいつものように彼の名前を告げ、その次の瞬間に電話は切れた。そしてツーンという発信音だけが耳に残った。

「でも君はそのホテルに泊まっていることを誰にも教えなかったんだろう？」と僕は訊いた。

「ええ、もちろんです。誰にも教えちゃいません。ただ、その僕が寝た相手の女の子だけはべつですがね」

「彼女が他の誰かに洩らしたってことはないのかな」

「いったい何のためにですか？」

そう言われてみればそのとおりだった。

「そのあとで僕はバスルームの中で一切合財を吐いてしまいました。魚とか米とかそういうもの全部です。まるで電話がドアをあけて道を拓きそこから嘔吐が入ってきたような具合でした。

吐いたあと、僕はバスタブに腰を下ろして、頭の中でいろんなことを少し順序よく整理してみたんです。まず第一に考えられることは、その電話が誰かが巧妙にしくんだ冗談かいやがらせだってことです。どうして僕がそのホテルに泊っていることを奴が知ったのかはわからないけれど、その問題はあとまわしにして、とにかくそういう人為的なしわざです。第二の可能性は僕の幻聴です。僕が幻聴を経験するなんて考えただけでも馬鹿馬鹿しかったけれど、冷静に分析してみればそういう可能性をはずすわけにはいきませんでした。つまり〈ベルが鳴った〉気がして受話器をとって〈僕の名前を呼ばれた〉気がするということですね。本当は何もない。原理的にはあり得るでしょう？」

「そりゃまあね」と僕は言った。

「僕はそれでフロントに電話をして、今この部屋に電話がかかってきたかどうかチェックしてみてほしいって言ったんですが、でもそれはダメでした。ホテルのオペレート・システムはこちらから外に電話をかけるぶんは全部チェックするんですが、逆の場合はまったく記録が残らないんですね。そういうわけで手がかりはゼロでした。

ホテルに泊ったその夜を境として、僕はいろんなことをわりに真剣に考えるようになりました。吐き気と電話のことです。まず第一にそのふたつのできごとがどこかで、全面的にか部分的にかはわからないが、とにかくつながっているらしいこと。それからそのどちらもが僕がはじめに考えていたほどは気楽なものではないらしいことが、だんだんはっきりとしてきたからです。

ホテルに二泊してアパートに戻ってきてからも、吐き気と電話はあいかわらず同じような調子でつづきました。ためしに何度か友だちの家に泊めてもらったりもしたんですが、それでも電話はちゃんとそこにかかってきました。それもきまって友だちがいなくて僕一人きりのときにかかってくるんです。そんなわけで、僕はだんだんうす気味悪くなってきたんです。まるで目に見えない何かが僕のうしろにずっと立って僕の一挙一動を見張っていて、それが頃あいを見はからって僕に電話をかけたり、胃の奥に指をつっこんだりしているんじゃないかという気がしはじめたんです。これはあきらかに分裂症の最初の徴候ですよね。そうでしょう?」

「でも自分は分裂症じゃないかと心配する分裂症の患者はそんなにいないんじゃないかな?」と僕は言った。

「そうです、おっしゃるとおりです。それから分裂症と嘔吐が連動するという例もないんです。それは大学病院の精神科で言われたことです。精神科の医者は僕のことをほとんど相手にしてくれませんでした。連中はもっとはっきりとした症状の出る患者しか相手にしないんです。僕程度の症状の人は満員の山手線の車両一両につき2・5人から3人くらいはいるんだそうで、そういうのをいちいち相手にしている余裕というものは病院にはないんだそうです。嘔吐は内科に、いたずら電話は警察に行きなさいと言われました。

しかし御存じかもしれませんが、警察が相手にしない犯罪が世の中にふたつあります。ひとつはいたずら電話で、ひとつは自転車泥棒です。どちらも件数が多すぎるし、犯罪としてもちゃちだからです。そんなことにいちいちかかわっていると警察の機能がマヒしちゃうんです。だから僕の話なんてロクに聞きやしません。いたずら電話？　それで相手はどんなこと言うの？　おたくの名前だけ？　他に何も言わないの？　じゃあそこの届けに名前書いといて下さい。それから何かそれ以上かかわったことが起きるようだったら連絡して下さい——だいたいそんなところです。どうして相手が僕の行く先をいちいち知ってるのか、なんて言ってもロクにとりあってもくれないし、あまりしつこく言うと頭がおかしいんじゃないかって疑われる始末です。

そんなわけで結局、医者も警察も誰も彼も頼りにならないことがわかりました。要するに自分一人の力でなんとか片づける以外に方法はないんです。そう思ったのがだいたいその〈嘔吐電話〉がはじまって約二十日めのころですね。僕は肉体的にも精神的にも相当タフな方だとは思うんだけど、この頃にはさすがにいささか参りはじめていました」

「でもその友だちの恋人とはうまくやってたんだろう？」

「ええ、まあね。ちょうどその友だちが二週間ばかり仕事でフィリピンに行ってたもんで、そのあいだ僕らはたっぷりと楽しみました」

「彼女と楽しんでいるときに電話がかかってくることはなかったの？」

「それはありませんね。日記をしらべてみればわかると思うけど。そういうのはなかったはずです。電話は僕が一人ぼっちでいるときにいつもかかってきました。嘔吐も、いつも一人のときにやってきました。それでそのとき僕は思ったんです。どうして俺はこんなに一人きりでいる時間が多いんだろうってね。じっさいの話、平均してみると僕は一日24時間のうち23時間ちょっとまで一人でいるんですね。一人ぐらしだし、仕事上のつきあいはほとんどないし、仕事の話は大抵電話で済ませちゃうし、恋人は他人の恋人だし、飯は九割がた外食だし、スポーツをやるったって一人でエンエンと泳ぐだけだし、趣味というとこのとおり一人で骨董品みたいなレコード聴くくらいだし、仕事だって一人ぼっちで集中しなきゃできない種類のものだし、友だちはいるけどみんなこの歳になれば忙しくてそんなにしょっちゅう会えるわけじゃなし……そういう生活ってわかるでしょう？」

「うん、まあね」と僕は同意した。

彼は氷の上にウィスキーを注いで、指先で氷をぐるぐるとまわしてかき混ぜてから一口飲んだ。「それでちゃんと腰を据えて考えてみたんです。俺はこれからどうすりゃいいんだろうってね。このまま一人でいたずら電話と嘔吐にずっと悩まされることになるのかってね」

「まともな恋人をみつければよかったんだ。自前のやつをさ」

「もちろんそれも考えましたよ。僕もそのとき27だったし、まあこのへんで身を固めても悪くないなってね。でもやはり結局はダメです。僕はそういうタイプの人間じゃないんです。僕はなんていうか、そういう風な負け方に我慢ならないんです。吐き気とかいたずら電話といったようなわけのわからない理不尽なものに降参して、それで自分の生き方を簡単に変更しちゃうということに対してね。それで僕はとにかく体力と精神力の最後の一滴がしぼりとられちまうまでとにかく闘ってやろうと決心したんです」

「ふうん」と僕は言った。

「村上さんならどうしますか？」

「さあどうするかな、見当もつかないな」と僕は言った。本当に見当がつかなかったのだ。

「吐き気と電話はそれからもずっとつづきました。体重もずいぶん減りました。ちょっと待って下さい——えーと、そうですね——6月4日の体重は64キロありました。6月21日が61キロ、7月の10日は実に58キロです。58キロですよ。僕の身長からすると嘘みたいな数字です。おかげで洋服はぜんぶサイズがあわなくなっちまいました。ズボンを押さえて歩くような始末です」

「ひとつ質問があるんだけど、どうして録音電話をとりつけるとか、そういうことをしなかったの？」

「もちろん逃げたくなかったからです。そんなことしたら、僕が参っていることを相手におしえてやるようなもんです。根くらべですよ。相手が飽きるか、僕がくたばるかです。吐き気にしたってそうです。僕はこれは理想的なダイエットだと考えるようにしたんです。幸い体力が極端に低下するということもなく、日常生活も仕事も一応普段どおりこなすことはできましたからね。だから僕はまた酒を飲みはじめました。朝からビールを飲んで、日が暮れるとたっぷりウィスキーを飲みました。飲んだって飲まなくたってどうせ吐くんだもの、そんなのどっちだって同じです。飲んだ方がさっぱりして納得もいきます。

それから銀行で預金をおろし、洋服屋に行って新しい体型にあったスーツを一着と、ズボンを二本買いました。洋服屋の鏡にうつしてみると、やせているのもなかなか悪くありませんでした。考えてみりゃ、吐くのなんてそんなにたいしたことじゃないんです。痔とか虫歯に比べて苦痛も少ないし、下痢に比べれば上品です。もちろんこれは比較の問題ですがね。栄養の問題が解決し、癌の可能性がなくなれば、嘔吐というのは本質的には無害なんです。だってアメリカじゃやせるための人工的嘔吐剤を売っているくらいですからね」

「それで――」と僕は言った。「結局その嘔吐と電話は7月14日までつづいたんだね?」

「正確に言うと――ちょっと待ってください――正確に言うと、最後の嘔吐が7月14日の朝の9時半で、これはトーストとトマト・サラダとミルクを吐きだしてます。それから最後の電話がその夜の10時25分で、そのとき僕はエロール・ガーナーの『コンサート・バイ・ザ・シー』を聴きながらもらいもののシーグラムVOを飲んでいました――どうです、日記ってつけておくとなかなか便利なものでしょう?」

「なかなかね」と僕はあいづちを打った。「それでそれ以来どちらもぷっつりとなくなってしまったんだね?」

「ぷっつりとです。ヒッチコックの『鳥』みたいに朝になってドアを開けたら、もう何もかも過ぎ去っていたんです。吐き気もいたずら電話も、もう二度とやってきませんでした。そして僕はまた63キロにまで体重を戻し、スーツとズボンは洋服ダンスに吊されたままです。一種の記念品みたいにです」

「電話の相手は最後までまったく同じ口調だったの?」

彼は首を軽く左右に振った。そしていくぶんぼんやりとした目つきで僕を見た。「違います」と彼は言った。「最後の電話だけはいつもと違っていました。まず相手が僕の名前を言いました。これはいつもと同じです。でもそれから奴はこう言ったんです。『私が誰だかわかりますか?』ってね。そしてしばらく黙っていました。僕も黙っていました。十秒か十五秒くらいだと思うんだけれど、どちらもひとことも口をききませんでした。それから電話が切れました。ツーンという例の発信音だけが残りました」

「ほんとうにそのとおりに言ったの? 『私が誰だかわかりますか?』って?」

「一字一句違わずそのとおりです。ゆっくりとした丁寧なしゃべり方でした。『私が誰だかわかりますか?』、でも声にはまるで覚えがありません。少なくとも最近五、六年に関った相手の中にはその声に該当するような人物はいません。ずっと昔の子供の頃の知りあいとか、それほど口をきいたことのない相手のことまではわかりませんが、そういう相手から恨まれることについて思いあたる節といってもまるでないんです。誰かに何かひどいことをしたという覚えもありませんし、同業者の恨みを買うほど売れっこでもないですしね。そりゃまあ、女関係についちゃ、お話ししているとおりいくぶんやましい点はありますね。それは認めます。27年も生きてるんだから赤子のように潔白というふうにはいきません。でもさっきも言ったように、そういう相手の声はちゃんと知ってるんです。聞けば一発でわかります」

「でもね、まともな人間は友だちのつれあい専門に寝たりはしないもんだぜ」

「とすると」と彼は言った。「村上さんはそれが僕の中のある種の罪悪感が——自分でも気づかない罪悪感が——嘔吐とか幻聴とかいう形をとって結像したものじゃないかって言うわけですね」

「僕は言ってない。君が言ってるんだ」と僕は訂正した。

「ふうん」と彼は言ってウィスキーを口にふくみ、天井を見上げた。

「それからこういうことも考えられる。君が寝取った相手の男の一人が私立探偵をやとって君を尾行させ、君をこらしめるために、あるいは君に警告を与えるために、電話をかけさせていた。嘔吐の方は単なる体の変調で、偶然そのふたつが期間的に一致した」

「どちらも一応買えますね」と彼は感心したように言った。「さすがは小説家だ。でもね、第二の仮説に関していえば、僕はそれでも彼女と寝るのをやめなかったんですよ。なのにどうして突然電話がかかってこなくなったんですか？　つじつまがあわない」

「たぶん愛想がつきたんだろう。あるいは探偵をやといつづけるだけの金がつきたのかもしれない。どちらにせよ、これは仮説だからね。仮説でいいんなら、百だって二百だってひっぱりだせるさ。問題は君がどの仮説をとるかってことなんだ。それから、そこから何を学ぶかってことだな」

「学ぶ？」と彼は意外そうに言った。そしてしばらく額にグラスの底をつけていた。「学ぶって、どういうことですか？」

「もう一度それがやってきたらどうするかってことだよ、もちろん。この次は40日じゃ済まないかもしれないぜ。理由なく始まったものは理由なく終る。逆もまた真なり」

「嫌なことを言いますね」と彼はくすくす笑いながら言った。それから真顔にかえった。「しかし妙だな。あなたに言われるまで、それについて一度も考えてみたことがなかった。その……もう一回あれが来るかもしれないってことをね。ねえ、ほんとうに来ると思います？」

「そんなことわかるわけないさ」と僕は言った。

彼はグラスをときどきぐるぐるとまわしながら、ウィスキーを少しずつすするように飲んだ。そして空になったグラスをテーブルに置いて、ティッシュ・ペーパーで何度か鼻をかんだ。

「あるいは」と彼は言った。「あるいは、それは今度はぜんぜん別の人の身に起こるのかもしれませんよ。たとえば村上さんとかね。村上さんだってまるっきりの潔白ってわけじゃないでしょう?」

その後も、僕は彼と何度か顔を合わせ、前衛的とはいいがたい種類のレコードを交換したり酒を飲んだりしている。年に二回か三回というところだ。僕は日記をつけるようなタイプではないので、正確な回数まではわかりかねる。ありがたいことにいまのところ、彼の方にも僕の方にも嘔吐も電話もやってきてはいない。

雨やどり

最近ある小説を読んでいて、金を払って女と性交しないというのはまっとうな男の条件のひとつであるという文章にであった。こういうのを読むと、なるほどな、と思う。なるほどなと僕が思うのは、必ずしも僕がその説を正しいと思うからではない。そういう考え方もあるんだなあと納得しているだけである。少なくともそのような信念を抱いて生きている男が存在しているという状況はそれなりにきちんと納得できる。

個人的な話をすると、僕も金を払っては女と性交しない。したこともないし、この先とくにしようとも思わない。しかしこれは信念の問題ではなく、いわば趣味の問題である。だから金を払って女と寝る人間をまっとうじゃないとは僕には断言できないような気がする。たまたまそういう巡りあわせになっているというだけのことなのである。

それからこういうことも言える。

我々は多かれ少なかれみんな金を払って女を買っているのだ、と。

昔、ずっと若い頃、はもちろんそんな風に考えたことはなかった。僕はごく単純にセックスというものは無料《ただ》だと考えていた。ある種の好意と好意（もっと違った呼び方もあるのだろうが）が出会えば、そこにごく自然に、自然発火のごとくにセックスが生じるものだという考え方である。若いうちはたしかにそれでうまくいったし、だいたい払おうにも金そのものがなかった。こちらにもないし、向うにもない。知らない女の子のアパートに泊り、朝になってインスタント・コーヒーをすすりながら冷たいパンをわけあうといったような生活で、それでも楽しかった。

しかし年をとり、それなりに成熟するに従って、我々は人生全般に対してもっと別の見方をするようになる。つまり我々の存在あるいは実在は様々な種類の側面をかきあつめて成立しているのではなく、あくまで分離不可能な総体なのだ、という見方である。つまり我々が働いて収入を得たり、好きな本を読んだり、選挙の投票をしたり、ナイターを見に行ったり、女と寝たりするそれぞれの作業はひとつひとつが独立して機能しているわけではなく、結局は同じひとつのものが違った名称で呼ばれているにすぎないということなのである。だから性生活の経済的側面が経済生活の性的側面であったり、というのも十分にあり得るのだ。

少なくとも今のところ、僕はそんな風に考えている。

だから僕が読んでいたその小説に出てきた主人公のようにごくシンプルに「金を払って女と寝るのはまっとうな人間のすることではない」と言い切ることは僕にはちょっとできそうにない。それはひとつの選択として存在し得る、としか僕には言えない。何故なら、前にも述べたように、我々は実にいろんなものを日常的に買ったり売ったり交換したりしているために、最後には何を売って何を買ったのかさっぱりわからなくなってしまったということが多々あるからである。

うまく説明できないけれど、結局はそういうことじゃないかと思う。

その時一緒に飲んでいた女の子は、何年か前にお金をもらって複数の知らない男と寝たことがあると僕に言った。

僕が飲んでいたのは表参道を渋谷寄りに入ったところにある新しいレストラン・バーのような店だった。カナディアン・ウィスキーが三種類揃っていて、軽いフランス料理もあって、大理石のカウンターの上に野菜がまるごと積んであって、スピーカーからドリス・デイの「イッツ・マジック」が流れていて、デザイナーとかイラストレーターといった種類の人間が集まって感覚革命の話をしているようなタイプの店だ。こういう店はどんな時代にだって必ずある。百年前からあったし、百年後にもあるだろう。

僕がこの店に入ったのはただ単にその近くを歩いていたら突然雨が降り出したからだった。僕は渋谷で仕事の打ちあわせを済ませ、ぶらぶらと散歩しながら「パイドパイパー」にレコードを見に行く途中で雨に降られた。まだ夕方の早い時間で店の中には殆んど人影はなかったし、通りに面した壁はガラスばりだったから外の雨の降り具合もわかるし、まあビールでも飲みながら雨のやむのを待とうというつもりだった。鞄の中には買ったばかりの本が何冊か入っていたから、時間を潰すのに苦労する心配はなかった。

メニューが運ばれてきて、ビールの項を見ると、輸入ものだけで二十種類ものブランド名が並んでいた。僕は適当なビールを選び、つまみにはちょっと迷ってからピスタチオの皿をとった。

季節は夏の終りで、街には夏の終りにふさわしい空気が漂っていた。女の子はみんなよく日焼けしていて、「そんなことはわかっているんだから」という顔をしていた。大粒の雨がアスファルトの道をあっという間に黒く染め、街のほてりをさました。

その騒々しいグループが傘をばたばたとすぼめながら店にとびこんできたのは、僕がソウル・ベロウの新しい小説を読んでいる時だった。ソウル・ベロウの小説は、おおかたのソウル・ベロウの小説がそうであるように、雨やどりの暇つぶしむきではなかったので、僕はそれをしおに本を閉じ、ピスタチオの殻をむきながらそのグループを観察した。

グループは全部で七人で、男が四人に女が三人だった。年齢は見たところ二十一から二十九、みんな流行最先端とまではいかないにしても、きちんと時流にあわせた格好をしていた。髪の毛が立ちあがっていたり、よれよれのレーヨンのアロハを着たり、もものふくらんだパンツをはいていたり、黒ぶちの丸い眼鏡をかけたり、といった類のことだ。

彼らは店に入ると中央にある卵形の大きなテーブルのまわりに座った。しょっちゅうこの店に来ているという感じに見えたが、案の定誰も何も言わないうちにウィスキーのボトルと氷のバケツが出てきた。ウェイターがみんなにメニューをまわした。彼らがいったいどういう人種なのかはわからなかったが、これから何をしようとしているのかについてはだいたい想像がついた。おそらく仕事の企画の顔あわせか、仕事の反省会かのどちらかだ。どちらにしても酔払ってぐるぐると同じことを言って握手しておひらきになる。女の子の一人が悪酔いして、男の一人がタクシーでアパートまで送り届け、うまくいけばそのついでにベッドにもぐりこむことになる。百年前からつづいている古典的な集いだ。

僕はそのグループを観察するのにも飽きると窓の外の景色を眺めた。雨はまだ降りつづいていた。空はあいかわらず、ふたでもかぶせたみたいにまっ暗で、予想したよりは雨は長く降りつづきそうな気配だった。道路の両わきでは雨水があつまって早い流れになっていた。店の向い側には古い惣菜屋があって、豆の煮物とか切干し大根とかそういったものがガラス・ケースに並んでいた。軽トラックの下では大きな白い猫が雨やどりをしていた。しばらくぼんやりとそんな風景を眺めてから店内に目を戻し、ピスタチオをいくつか食べながら本のつづきを読もうかどうしようかと考えていると、女の子が一人僕のテーブルにやってきて、僕の名を呼んだ。さっき店に入ってきた七人づれグループの中の一人だった。

「そうでしょ?」と彼女は言った。

「そうです」と僕はびっくりして答えた。

「私のこと覚えてます?」と彼女は言った。

僕は彼女の顔を眺めた。見覚えはあったが誰だかはわからなかったので、僕は正直にそう言った。女の子は僕の向いの椅子をひいて、そこに腰を下ろした。

「一度村上さんをインタヴューしたんですよ」と彼女は言った。そういわれればたしかにそうだった。僕が最初の小説を出した頃だから今から五年近く前、彼女はある大手の出版社が出している女性向け月刊誌の編集者で、ブック・レヴューの欄をまかされていて、そこで僕のインタヴュー記事を載せてくれたのだ。僕にとってはたしかそれが作家になってはじめてのインタヴューだった。彼女はその頃は髪も長く、きちんとしたシックなワンピースを着ていた。たしか僕より四つか五つ年下だったと思う。

「ずいぶん感じが変ったからわからなかったよ」と僕は言った。

「そうでしょ?」と彼女は言って笑った。彼女は髪をはやりの格好に刈りあげ、自転車の防水布で作ったようなだらりとしたカーキ色のシャツを着て、耳からモビールみたいな金属片をふたつぶらさげていた。まず美人といってもいい部類だったし、造作がはっきりとした顔だちなので、そういう格好が彼女にはけっこうよく似合っていた。

僕はウェイターを呼んで、ウィスキーのオン・ザ・ロックをダブルで注文した。ウェイターはウィスキーは何がよろしいでしょうか、とたずねた。ためしにシーヴァス・リーガルはあるだろうかと訊くと、シーヴァスはちゃんとあった。それから彼女に向って何か飲むかときいた。彼女は同じものでいいと言った。それで僕はシーヴァスのオン・ザ・ロックをダブルでふたつ注文した。

「あちらにはいなくていいの?」と僕は中央のテーブルの方をちらりと見てから言った。

「いいんです」と彼女はすぐに言った。「仕事のつきあいで飲んでるだけだし、それに仕事じたいはもう終っちゃったようなものだから」

ウィスキーが運ばれてきて、我々はグラスに口をつけた。いつものシーヴァスの香りがした。

「ねえ村上さん、あの雑誌つぶれちゃったの御存じでしょう」と彼女は言った。

そういえばその話は聞いたことがあった。雑誌としての評判は悪くなかったのだが売れゆきが悪かったので、二年ほど前に会社がスクラップにしてしまったのだ。

「それでその時に私も配属がえになったんですけど、行き先が総務課だったんです。そんなのってありえないことなんで、ずいぶん抵抗したんですけど、結局は会社の方に押しきられちゃいまして、そんなこんなでなんだか面倒臭くなって退社したんです」と彼女は言った。

「なかなか良い雑誌だったのにね」と僕は言った。

＊

彼女が会社を辞めたのは二年前の春で、それと前後して彼女は三年間つきあっていた恋人とも別れることになった。わけを言うと長い話になるが、このふたつの出来事は密接に関係しあっていた。簡単にいうと彼と彼女は同じ雑誌の編集者同士だったのだ。男の方は彼女より十歳上で、結婚していて、子供も二人いた。男の方には妻と離婚して彼女と一緒になるつもりははじめからなく、彼女に対してもそのことははっきりと説明していた。彼女もそれはそれでいいと思った。

男は自宅が田無にあったので、千駄ケ谷近くに会員制のホテルを借りていて、仕事が忙しくなると週に二、三日はそこに泊まった。彼女も週に一日、そこに泊まった。決して無理なつきあい方はしなかった。そういった細かい部分については男の方が手馴れていて用心深かったし、彼女としてもその方が気楽だった。それで二人の関係は三年間誰にも気づかれずにつづいた。編集部内では二人は折りあいが悪いとさえ思われていた。

「たいしたものでしょ?」と彼女は僕に言った。

「そうだね」と僕は言ったが、まあよくある話ではあった。

雑誌のスクラップが決定して、人事異動が発表され、男は女性週刊誌の副編集長に抜擢された。女の方は前にも言ったように、総務課にまわされた。女は編集者として入社したのだから、編集の仕事にまわしてほしいと会社に抗議したが、雑誌の枠が現実に足りないのだから編集者ばかり増やすことはできないとはねつけられた。そのかわり一年か二年かしたらもう一度編集にまわしてやろうということだった。しかし物事がそう上手く運ぶとは彼女には思えなかった。一度編集畑からドロップアウトした社員が、もう二度と以前の部署に戻れず、販売課や総務課で書類に囲まれて朽ち果てていく例を、彼女はいくつも見ていた。ブランクが一年が二年になり、二年が三年になり、三年が四年になり、そしてだんだん年をとって第一線の編集者としての感覚が失われていくのだ。彼女はそうはなりたくはなかった。

彼女は自分を同じ部署にひっぱってくれるように、恋人に頼んでみた。もちろんそうなるように努力はしてみるがたぶん無理だろう、と男は言った。今のところ僕の発言力はとても限られたものだし、それにあまり派手にやって勘ぐられるのも嫌だからね。それより一年か二年、総務で我慢すれば、そのうちに僕の方も力をつけて君をひっぱってあげることができると思うよ。だからそうしなさい。それがいちばんいい、と男は言った。

嘘だ、と彼女は思った。男は本当は怯えているのだ。彼は自分がべつのブランコにとびうつれたということだけで頭がいっぱいで、彼女のために指一本動かすつもりはないのだ。男の科白を聞きながら、彼女の手はテーブルの下でぶるぶると震えた。誰も彼もが彼女を踏みつけているように思えた。彼女は男にコーヒーをカップ一杯かけてやろうかと思ったが、結局馬鹿馬鹿しくなってやめた。

「そうねえ、そうかもしれないわね」と彼女は男に言って、にっこり笑った。そしてその翌日辞表を会社に提出した。

「こんな話って、聞いていて退屈なんじゃないかしら？」と彼女は言って、ウィスキーをひとくちなめるように飲み、それからきちんとマニキュアを塗った形の良い親指の爪でピスタチオの殻を割った。彼女の割るピスタチオの方が僕のよりずっと良い音がするように感じられた。

べつに退屈じゃない、と僕は彼女の親指の爪を眺めながら言った。彼女はふたつに割れた殻を灰皿に入れ、中身を口に運んだ。

「どうしてこんな話を始めちゃったのかしら」彼女は言った。「でもさっき村上さんの姿を見かけてなんだか急に懐かしくなったんです」

「懐かしい？」僕はちょっとびっくりして聞きかえした。僕はそれまでに彼女とは二回しか会ったことがなかったし、それもとくに親しく話をしたというわけではないのだ。

「つまり、何ていうのかな、昔の知りあいに会ったような気がしたんです。今はもう別の世界にいるんだけれど、かつてはとても大事に関った相手というか……、本当はそれほど具体的に関ったわけではないんだけれど。でも私の言っている意味はわかっていただけるかしら？」

わかるような気はする、と僕は言った。要するに彼女にとって僕という人間は記号的な——もう少し好意的にいえば祝祭的・儀式的な——存在にすぎないのだ。僕という存在は彼女が日常的平面として捉えている世界には本当の意味では属していないのだ。そう考えると僕は何かしら不思議な気持になった。

それでは僕という人間はいったいどんな種類の日常的平面に属しているのだろう、と僕は思った。

それはむずかしい問題だった。それに彼女とは関係のない問題でもあった。だからそのことについては僕は何も言わなかった。「わかるような気はする」と言っただけだった。

彼女はピスタチオをもうひとつ手にとり、前と同じように親指の爪を使って殻を割った。

「わかっていただきたいのは、誰にでもこんな打ち明け話をしてまわってるわけじゃないっていうことなんです」と彼女は言った。「正確に言うと、こんなこと誰かにしゃべるのははじめてなんです」

僕は肯いた。

窓の外ではまだ夏の雨が降りつづいていた。彼女は手の中でもてあそんでいたピスタチオの殻を灰皿に捨てると、話のつづきを始めた。

彼女は会社をやめるとすぐに、仕事で知りあった編集者仲間やカメラマンやフリー・ライターにかたっぱしから電話をかけ、会社をやめたことと新しい仕事を捜していることを知らせてまわった。そのうちの何人かは仕事をみつけてあげられると思うと言ってくれた。その場で明日から来なよと言ってくれる人もいた。大抵はPR誌かタウン誌かファッション・メーカーのパンフレットとかいった小さな仕事だったが、それでも大会社で伝票の整理をしているよりはずっとましだった。

いちおう仕事先がふたつ内定し、そのふたつを併せてやれば収入も今までより下らないことがわかると彼女はほっとした。それで一ヵ月間、仕事に就くのはのばしてもらって、そのあいだ何もせずに、本を読んだり、映画を観たり、小旅行をしたりして過ごすことに決めた。たいして多い額ではなかったが一応退職金は出ていたし、生活に不安はなかった。彼女は雑誌時代に知りあいになったヘア・デザイナーのところに行って、髪を今風に短かく切ってもらい、そのデザイナーの行きつけのブティックをまわって、新しいヘア・スタイルに合った服と靴とバッグとアクセサリーをひととおり買い揃えた。

会社を辞めた二日めの夕方に、かつての同僚であり恋人であった男から電話がかかってきた。相手が名前を告げると、彼女は何も言わずに電話を切った。その十五秒後にまた電話のベルが鳴った。受話器をとると、同じ相手からだった。彼女は今度は電話を切らずに受話器をショルダー・バッグの中につっこんでファスナーをしめた。それっきり二度と電話はかかってこなかった。

その一ヵ月の休暇はのんびりと過ぎ去っていった。結局旅行には行かなかった。よく考えてみればもともとたいして旅に出るのが好きというわけでもなかったし、それに男と別れた二十八の女が一人旅をするというのもなんだか絵になりすぎていて興ざめだった。彼女は三日間で五本の映画を観て、コンサートに行き、六本木のライヴ・ハウスでジャズを聴いた。そして暇になったら読むつもりで積んでおいた本を片はしから読んだ。レコードも聴いた。スポーツ用品店に行ってジョギング・シューズとランニング・パンツを買い、近所を毎日十五分ほど走ってみた。

はじめの一週間はそれでうまくいった。煩雑で神経のすりへる仕事から解放されて思う存分好きなことができるというのは実に素晴しいことだった。気が向くと料理を作り、日が暮れると一人でビールを飲んだりワインを飲んだりした。

しかしその休暇が十日めを過ぎたころから、彼女の中で何かが変ってきた。もう観に行きたいと思う映画は一本もなくなり、音楽はうるさいだけでLP一枚をとおして聴くことができなくなり、本を読むと頭が痛んだ。作る料理はどれも気が抜けた味がした。ジョギングはある日気味の悪い学生風の男にあとをついて走られてからすっかりやめてしまった。変に神経がたかぶって夜中に目がさめ、暗闇でずっと誰かに見つめられているような気がした。彼女はそういう時、空が白んでくるまで布団をかぶってずっと震えていた。食欲が落ち、一日気持がイライラした。もう何をする気もおきなかった。

彼女は知りあいの誰彼となく電話をかけてみた。そのうちの何人かはおしゃべりをしたり相談にのってくれたりしたが、彼らにしても仕事が忙しく、そうそういつまでも彼女の相手をしているわけにもいかなかった。「あと二、三日したら今の仕事がひと区切りつくからさ、そうしたらゆっくり飲みにいこうよ」と言って彼らは電話を切った。しかし二、三日たっても誘いの電話はかかってはこなかった。ひと区切りついたところに急にまたべつの仕事が入ってしまったのだ。彼女自身もこの六年間ずっとそういう生活をくりかえしていたわけだから、そのへんの事情はよくわかっていた。だから自分の方から電話をかけて相手をわずらわしたりはしなかった。

日が暮れてから家にいるのがつらかったので、彼女は夜になると買ったばかりの新しい服に身を包んで外に出て、六本木か青山あたりの小綺麗なバーで終電車の時刻まで、一人でカクテルをちびちびと飲んだ。運が良ければそこで昔の知りあいに会って世間話をして時間をつぶすことができた。運が悪ければ（そういう時の方が圧倒的に多かったのだけれど）誰にも会えなかった。もっと運が悪ければ帰りの終電車の中で知らない男にスカートに精液をかけられたりタクシーの運転手に誘いをかけられたりした。一千百万の人間のひしめきあう都会の中で、彼女は自分がたまらなく孤独であるように感じた。

最初に彼女が寝た相手は中年の医者だった。彼はハンサムで、品の良いスーツを着ていて――あとでわかったことなのだが――五十一歳だった。彼女が六本木のジャズ・クラブで一人で飲んでいると、その男が隣りにやってきて、〈どうもあなたのお待ちあわせの方がみえないようですね、私も実はそうなんです、もしよろしければどちらかの相手がくるまで〉云々のよくある科白を口にした。古い古いトリックだったが、彼はとても良い声をしていたので、彼女は少し迷ってから〈かまいませんよ、どうぞ〉と言った。それからしばらく二人でジャズを聴き（うすめた砂糖水みたいなピアノ・トリオ）、酒を飲み（彼がボトル・キープしていたダニエルズ）、おしゃべりをした（六本木の昔話）。もちろん彼の相手は現われなかった。時計が十一時をまわると、彼はどこか静かなところに食事に行きましょうよと言った。彼女は今から高円寺まで帰らなきゃならないの、と言った。じゃあ車で送りますよ、と彼は言った。送っていただかなくても一人で帰れます、と彼女は言った。それではどうだろう、僕はこのあたりに部屋を持っているんだけど、いっそそこに泊まっていけば、と彼は言った。いやもちろん君が嫌なら変なことはしないから。

彼女は黙った。

彼も黙った。

私は高いのよ、と彼女は言った。どうしてそんなことを言ってしまったのか、自分でも理解できなかった。でもそのことばがごく自然に口をついて出てしまったのだ。いったん口から出たことばをもう一度ひっこめるわけにはいかない。彼女はそれでぐっと唇をかんで相手の顔をにらんだ。

相手はにっこりと笑って、グラスに新しくウィスキーを注いだ。「いいよ」と相手は言った。「金額を言ってみなさい」

「七万」と彼女は即座に答えた。どうして七万なのか、まるで根拠はない。それでも彼女は金額は七万でなくてはならないような気がした。七万といえばたぶん男が断るだろうという思いもあった。

「それにフランス料理のコースをつけるよ」と男は言ってウィスキーのグラスをぐっとあけ、立ちあがった。「さあ行こう」と男は言った。

「医者って言ったね?」と僕は彼女に訊ねてみた。

「ええ、そうです」と彼女は答えた。

「何の医者だったの? つまり専門っていうことだけど……」

「獣医」と彼女は言った。「世田谷で獣医をやってるんですって」

「獣医……」と僕は言った。僕には獣医が女を買うということが一瞬うまく理解できなかった。しかしもちろん獣医だって女を買う。

獣医は彼女にフランス料理を食べさせ、それから神谷町の交叉点近くにある彼のワンルーム・マンションにつれていった。彼は彼女をやさしく扱った。乱暴にもしなかったし、変質的なところもなかった。二人はゆっくりと交わり、一時間あいだを置いて、もう一度交わった。はじめのうち、彼女はこんな状況におちいってしまったことにたいしてひどく慌てていたが、彼にじっくりと愛撫されているうちに、余計な思いも少しずつ消え失せ、セックスにだんだんのめりこんでいった。男がペニスを抜きとってシャワーを浴びに行ったあと、彼女はしばらくベッドの上に横になり、じっと目を閉じていた。そしてこの何日かずっと彼女の中でわだかまっていた名状しがたい苛立ちがもうすっかり消え失せていることに気づいた。やれやれ、と彼女は思った。どうしてこんなことになっちゃうんだろう？

朝十時に彼女が目覚めると、男はもう仕事に出ていた。机の上に一万円札が七枚入った角封筒があり、そのとなりに部屋のキイが置いてあった。手紙があり、キイは郵便受けに放り込んでおいてくれるように、とあった。冷蔵庫にアップルパイとミルクと果物が入っているとも書いてあった。それから〈もしよかったら近いうちにもう一度会いたいので、その気になったらここに電話してほしい。一時から五時までは必ずいるから〉とあった。

そしてペット・クリニックの名刺がはさまれていた。名刺には電話番号が書いてあった。2211というナンバーで、その横に〈ニャンニャン・ワンワン〉とルビが振ってあった。彼女はその手紙と名刺を四つに裂き、マッチを擦って流しで焼いた。金はハンドバッグに放り込んだ。冷蔵庫の中のものには手もつけなかった。そして彼女はタクシーを拾って自分のアパートに帰った。

「そのあとも何度かお金をもらって違う人と寝たんです」と彼女は僕に言った。そして黙った。

僕はテーブルに両肘をついて、唇の前で指を組んだ。それからウェイターを呼んで、ウイスキーのおかわりをふたつ頼んだ。やがてウィスキーがやってきた。

「何かつまむ?」と僕は訊ねてみた。

「いえ、いいんです。ほんとに気にしないで下さい」と彼女は言った。

我々はまたちびちびとオン・ザ・ロックを飲んだ。

「質問してもいいかな、ちょっと立ちいったことなんだけど」と僕は訊ねてみた。

「いいですよ、もちろん」と彼女は言った。そしてちょっと目を丸くして僕の顔を見た。

「だって正直に話したいから、今こうして村上さんに打ち明けてるんですから」

僕は肯いて、残り少なくなったピスタチオの殻を割った。

「その他の時も、値段はいつも七万円だったの?」

「いいえ」と彼女は言った。「そんなことはないんです。その時その時で、ふっと口に出てくる金額が違うんです。いちばん高いので八万円、いちばん安くて四万円かな。相手の顔を見て直感的に数字が出てくるんです。金額を言って断わられたことは一度もありませんでしたよ」

「たいしたもんだね」と僕は言った。

彼女は笑った。

彼女はその〈休暇中〉にぜんぶで五人の男と寝た。相手はみんな四十代か五十代の身なりの良い遊び慣れた男だった。彼女は顔見しりの寄りつきそうにない店で男を拾い、一度男を拾った店には二度と足を踏み入れなかった。たいていは男がホテルの部屋をとり、そこで寝た。一度だけ変な格好をさせられたが、その他の相手はみんな至極まともだった。金もきちんと払った。

そして彼女の〈休暇〉は終った。また仕事から仕事へと追い立てられる日々が戻ってきた。PR誌やタウン誌やパンフレットには大雑誌の持つプレスティッジや社会的影響力はなかったけれど、そのぶん何から何まで自分のやりたいように仕事をすることができた。昔と今とを比べてみると、どちらかといえば今の方が幸せだった。彼女にはふたつ年上のカメラマンのボーイフレンドがいて、もうお金をもらって他の男と寝たいとは思わなかった。今のところ仕事が面白いのですぐに結婚するつもりはないが、あと二、三年したらそういう気持になるかもしれない、と彼女は言った。

「そうなったら村上さんにも連絡します」と彼女は言った。

僕は手帳のメモ欄に住所を書き、それを破って彼女に渡した。彼女は礼を言った。

「ところで、その時にいろんな男の人と寝てもらったお金は結局どうしたの？」と僕は質問した。

彼女は目を閉じてウィスキーを飲み、それからクスクス笑った。「どうしたと思います？」

「わからないな」と僕は言った。

「全部そっくり三年定期にしちゃったの」と彼女は言った。

僕は笑い、彼女も笑った。

「その頃はもう結婚や何やかや、いくらお金があっても足りないってことになってるかもね。そう思いません？」

「そうだね」と僕は言った。

中央のテーブルのグループが大きな声で彼女の名前を呼んだ。彼女はうしろを向いて、手を振った。

「もう行かなくちゃ」と彼女は言った。「長話につきあわせちゃって、どうもすみません」と彼女は言った。

「こんな風に言っていいものかどうかよくわからないけど、面白い話だったよ」と僕は言った。

彼女は椅子から立ちあがり、にっこりと笑った。とても素敵な笑顔だった。

「ねえ」と僕は言った。「もしさ、僕がお金を払って君と寝たいと言ったとするね。もし、もしだよ」

「ええ」と彼女は言った。

「君はいくらって言う？」

彼女は唇を少し開いて息を吸いこみ、三秒ばかり考えた。それからもう一度にっこりと笑って「二万円」と言った。

僕はズボンのポケットから財布を出して、中に幾ら入っているか勘定してみた。全部で三万八千円入っていた。

「二万円プラス、ホテル代プラス、ここの払い、そして帰りの電車賃、そんなものじゃないかしら？」

実にそのとおりだった。

「おやすみ」と僕は言った。

「おやすみなさい」と彼女は言った。

外に出るともう雨はあがっていた。夏の雨だから、そんなに長くは降らない。上を見あげると珍しく星が光っていた。惣菜屋はとっくに店を閉め、猫が雨やどりをしていた軽トラックもどこかに消えていた。僕は雨あがりの道を表参道まで歩き、腹が減っていたので鰻屋に入って鰻を食べた。

鰻を食べながら、僕は二万円を払って彼女と寝ることを想像してみた。彼女と寝ることじたいは悪くなさそうだったが、それに対して金を払うというのはちょっと妙なものだろうな、と僕は思った。

そして僕はその昔、セックスが山火事みたいに無料だったころのことを思い出した。本当にそれは、山火事みたいに無料だったのだ。

野球場

「かれこれ五年ばかり前のことになりますが、僕は野球場の隣りに住んでいました。大学の三年生の時です。野球場っていったってそんなに大それたものじゃなくて、野原に毛がはえた程度のもんです。いちおうバックネットがあって、ピッチャーズ・マウンドがあって、一塁ベンチの横に簡単なスコアボードがあり、全体がぐるりと金網で囲ってあります。外野は芝生じゃなくて、かわりにぼそぼそとした雑草が生えていました。便所はひとつ小さいのがありましたが、更衣室とかロッカーとかいったようなものはありませんでした。球場の持ち主はその近くに大きな工場を持つ製鉄会社で、入口には部外者の無断入場を禁ずるという札がかかっていました。土曜とか日曜になるとその製鉄会社の社員や工員の作っているいろんなチームがやって来て草野球の試合をやりました。それからそこの会社の正式な軟式野球チームがあって、平日にはその連中が練習をやりました。他に女子ソフトボール部というのもありました。何しろ野球の好きな会社みたいでした。でも野球場の隣りに住むって、悪くないもんです。僕のアパートは三塁ベンチのすぐうしろに建っていて、僕はその二階に住んでいました。窓を開けるともうすぐ目の前が金網でした。それで僕は退屈すると——まあ昼間は毎日退屈していたようなものなんですが——ぼんやりと草野球の試合やら野球部の練習やらを眺めて過ごしていました。しかし僕がそこに住むようになったのは、野球を眺めるためではありませんでした。そこにはまったくべつの理由があったのです」

青年はそう言うと話を中断し、上着のポケットから煙草をとりだして一服した。

僕と青年はその日が初対面だった。彼はとても魅力的な美しい字を書いた。僕が彼と会ってみる気になったのも、もとはといえばそのチャーミングな字がきっかけだった。チャーミングといっても彼の字の美しさは世の中によくあるペン習字的な流麗さとは無縁で、どちらかといえばそれは不格好で素朴で個性的という種類のものだった。ひとつひとつの字はぐらぐらと左右に振れた金釘流でバランスも悪く、どこかの線が長すぎたりあるいは短かすぎたりしていた。しかしそれにもかかわらず、彼の字には唄でも歌うようなおおらかさがあった。僕は生まれてこのかたこれほど美しくて趣きのあるペン字を見たことは一度としてなかった。

彼はその字で原稿用紙にして七十枚ばかりの小説を書きあげ、僕のところに小包で送りとどけてきたのだ。

僕のところにはたまにそういった原稿が送られてくる。コピーの場合もあるし、肉筆の場合もある。本当は目をとおして、感想の手紙か何かを書くべきなのだろうが、僕はそういったことがあまり好きでもないし得意でもないので——要するに極端に個人的な考え方をする人間なのだ——いつも断りの手紙を入れて当人に送り返すことにしている。申しわけないとは思うけれど、間違った井戸から水を汲むわけにはいかないのだ。

しかし僕はその青年が送ってきた七十枚の小説を読まないわけにはいかなかった。ひとつには前述したように字がたまらなく魅力的だったからで、これほど素晴しい字を書くことのできる人間がどのような小説を書くものなのか、僕はどうしても知りたかった。それからもうひとつはその原稿に添付された手紙の文章が非常に礼儀正しく、シンプルで正直だったからだ。御迷惑をおかけして本当に申しわけないと思う、生まれてはじめて小説を書いてはみたもののどう処理すればいいのか自分でもきめかねて混乱している、自分が書こうとした素材と自分が書いた作品とのあいだには大きなギャップがあって、それがいったい作家にとって何を意味するのか自分にはよくわからない。ほんの短い批評なりともいただければそれにまさる喜びはない――と手紙にはあった。趣味の良い便箋と趣味の良い封筒だった。誤字もなかった。そんなわけで僕は彼の小説を読んだ。

小説の舞台はシンガポールの海岸だった。主人公は二十五歳の独身のサラリーマンで、彼は恋人と一緒に休暇をとって、シンガポールにやってきていた。その海岸には蟹料理専門のレストランがあった。二人とも蟹料理が大好きだったし、そのレストランは地元の人たち向けのものだったので値段がひどく安く、それで二人は毎日夕方になるとそこに行ってシンガポール・ビールを飲み、たらふく蟹料理を食べた。シンガポールには何十種類という蟹がいて、百種類にものぼる蟹料理があった。

ところがある夜、レストランを出てホテルの部屋に戻ると、彼はひどく気分が悪くなって、便所で吐いた。胃の中は蟹の白い肉でいっぱいだった。彼が便器の水に浮いたそんな肉の塊りをじっと見ていると、それはほんの少しずつ動いているように見えた。はじめのうち、それは目の錯覚だろうと彼は思った。しかし肉はたしかに動いていた。まるでしわがよじれるようなかんじに、肉の表層がぴくぴく震えていた。それは白い虫だった。蟹の肉と同じ色をした白い微小な虫が何十匹と、肉の表面に浮いていた。

彼はもう一度胃の中のものを洗いざらい吐いた。胃が握りこぶしくらいの大きさにまで収縮し、苦い緑色の胃液の最後の一滴まで彼は吐いた。それでも足りずに彼はうがい液をごくごくと飲んで、それをまた全部吐いた。しかし虫のことは恋人には教えなかった。彼は恋人に吐き気はしないかと訊ねた。しない、と恋人は答えた。あなたたぶんビールを飲みすぎたのよ、と彼女は言った。そうだね、と彼は言った。でもその夕方二人は同じ皿から同じ料理を食べたのだ。

その夜男はぐっすりと眠った女の体を月の明りで眺めた。そしてその中でうごめいているであろう無数の微小な虫のことを思った。

そういう話だった。

題材も面白いし、文章もしっかりしていた。生まれてはじめて書いた小説にしてはとてもよくできていた。それからなにしろ字が素晴しかった。しかし正直に言って、字の魅力に比べれば、その作品の小説としての魅力の度合はずっと低いものだった。たしかにうまくまとまってはいるのだけれど、小説としてのめりはりというものがまるでなく、何もかもが均等で平板なのだ。

もちろん他人の小説作法について決定的な判断を下せるような立場には僕はいない。しかし彼の小説の抱えた欠点がかなり宿命的な種類の欠点であることくらいは僕にもわかった。要するになおしようがないのだ。小説の中にたった一ヵ所でもいいから突出して優れた部分があれば、それをポイントにして小説のレベルをひっぱりあげることは（原理的には）可能である。しかし彼の小説にはそれがなかった。どこをとっても平均的でのっぺりとして、人の感情に食いこんでくるところがなかった。しかし会ったこともない他人に向って正直にそんな感想を書き送るわけにもいかない。それで僕は「なかなか面白いので、余計な説明部分を削りとって丁寧にブラッシュ・アップしてからどこかの雑誌の新人賞に応募するのが妥当であると思う。それ以上の細かい批評は私の能力を越えている」という趣旨の短い手紙を書いて、原稿に添えて彼のもとに送った。

一週間後彼から電話がかかってきて、御迷惑だとは思うのだけれど一度会ってはいただけないだろうか、と言った。自分は二十五歳で銀行につとめている、勤務先の近所になかなか美味い鰻屋があって、批評をいただいたお礼に簡単ではあるが一席設けたいのだがどのようなものであろうか、ということであった。もう既に乗りかかった船なのだし、原稿を読んだ礼に鰻を御馳走されるというのもどうも不思議なものだったので、僕はでかけることにした。

僕は字体と文体のかんじから無意識に痩せた青年を予想していたのだが、実際に会ってみると彼は標準よりは太っていた。とはいっても肥満しているわけではなく、肉のつき方に余裕があるという程度だ。頬がふっくらとして額が広く、ふわりとした髪をまん中から両側にわけ、線の細い丸形の眼鏡をかけていた。全体的に清潔で育ちが良さそうで、服装の趣味もしっかりとしていた。そのへんは予想どおりだった。

我々はあいさつをしてから小さな座敷に向いあって座り、ビールを飲んで鰻を食べた。食事のあいだ小説の話は殆んど出なかった。僕は彼の字を賞めた。字のことを賞められると彼はとても嬉しそうだった。それから彼は銀行の仕事の内幕話をした。彼の話はなかなか面白かった。少なくとも彼の小説を読んでいるよりはずっと面白かった。

「小説のことはもう良いんです」と話が一段落したところで彼は弁解するように言った。「実は原稿を返していただいてもう一度じっくり読みなおしてみたんですが、自分でも良くないって思ったんです。手を入れてもう少し部分的にマシになるかもしれないけれど、でもそれにしても僕がこう書きたいと思っている姿とはまるで違ってるんです。本当はあんなじゃないんです」

「あれは本当にあったことなの?」と僕はびっくりして訊ねてみた。

「ええ、もちろん本当にあったことです。去年の夏のことです」と彼はいかにも当然という顔で言った。「本当にあったこと以外は僕にはうまく書けないんです。だから本当にあったことしか書かないんです。何から何まで現実に起こったことです。でも、それにもかかわらず、書きあがったものを読んでみると現実感がないんです。問題はそこのところなんです」

僕は曖昧に返事をした。

「僕はどうもこのまま銀行員をやっていた方が良いみたいです」と彼は笑いながら言った。

「でもストーリーとしちゃなかなかユニークだし、実際にあったこととは思わなかったな。僕はてっきりまるっきりのイマジネーションで作ったもんだと思ったんだけどね」と僕は言った。

彼は箸を置いて、しばらくじっと僕の顔を見た。「うまく説明できないんですが、僕はしょっちゅう変な体験をするんです」と彼は言った。「変といってもそんなに突拍子もないようなことじゃなくて、変じゃないと言われればべつに変でもなんでもないようなことです。でも僕にとっては、それは何かしらちょっと奇妙な出来事なんです。現実が少しばかりずれてしまったようなね。つまりシンガポールの海岸のレストランで蟹を食べて、吐いて、虫が出てきたのに、女の子の方はなんともなくてすやすや寝てるといったような話です。変といえば変だし、変じゃないと言えば変じゃない。そうですね？」

僕は肯いた。

「そういうことが僕の中にはいっぱいあるんです。だから小説を書いてみようと思ったんです。題材には不自由しないからいくらでも書けるはずだってね。でも実際に書いてみて僕はこう思ったんです。小説ってのはこういうもんじゃないんだってね。面白い題材をいっぱい持っている人がいっぱい良い小説を書けるんだとしたら、小説家と金融業の違いがなくなっちゃいますからね」

僕は笑った。

「でも会えてよかったです」と彼は言った。「おかげでいろんなことがさっぱりしました」

「べつに礼は言ってもらわなくていいから、そのかわりに君の言うその変な体験というのをどれでもいいからひとつ聞かせてもらえないかな?」と僕は言った。

彼はそれを聞いてちょっとびっくりしたようだった。彼はグラスに残っていたビールをひと口で飲んで、それからおしぼりで口もとを拭った。「僕の話をするんですか?」

「うん。もちろん君が自分の小説のためにとっておきたいっていうんならべつだけど」と僕は言った。

「いや、もう小説は十分です」と彼は言って顔の前で手を振った。「お話しするのはぜんぜんかまいません。話すのは好きですから。ただ僕の話ばかりしているみたいで申しわけないと思ったんです」

僕の方は他人の話を聞くのが好きだからそういうことは気にしなくていい、と僕は言った。

そのようにして彼は野球場の話をはじめたのだ。

「野球場の外野のうしろ側は河原になっていて、川の向う側には雑木林にまじってアパートが何棟かぽつんぽつんと建っていました。それは都心からずいぶん離れた郊外で、まわりには畑なんかがずいぶん残っていました。春になるとひばりがぐるぐるまわりながら空を飛んでいるのが見えました。でも僕がそこに住んだ理由は、あまり牧歌的とはいえそうもないずっとずっと生ぐさいものでした。僕はその頃ある女の子に夢中になっていたんですが、彼女は僕のことなんか気にもとめていないようでした。彼女はかなりの美人で、頭も切れて、どことなく近づきにくい雰囲気がありました。彼女と僕とは同じ学年で大学の同じクラブにいたんですが、彼女の口ぶりからするとどうも決まった恋人がいる風でした。でも本当に彼女に恋人がいるのかどうかは、僕にはわかりませんでした。クラブの他の連中も、彼女の私生活については何も知りませんでした。それで僕は彼女の生活を徹底的にチェックしてやろうと思ったんです。彼女についてのいろんなことがわかれば、何かしらのとっかかりもつかめるはずだし、もしそれがだめでも少なくとも僕の好奇心は充たされるわけですから」

「僕はクラブの名簿にのっている住所をたよりに中央線のずっと奥の駅を下りて、またバスに乗って、彼女のアパートをみつけました。アパートは鉄筋の三階建ての、なかなか立派なものでした。ヴェランダは南向きで河原に面していて、ずっと向うまで見わたすことができました。川の向いには広い野球場があって、野球をやっている人々の姿が見えました。バットがボールを打つ音や、叫び声なんかも聞こえました。野球場の向う側には人家があつまっているのが見えました。僕は彼女の部屋が三階の左の端であることをたしかめてから、アパートを離れて橋をわたり、川の向う側に出ました。橋はずっと下流の方にしかなかったので、川を越えるのにずいぶん長い時間がかかりました。川の向う岸をまた上流の方に歩いて彼女のアパートの向い側に立ち、彼女の部屋のヴェランダを眺めました。ヴェランダには鉢植がいくつか並び、隅に洗濯機が置いてありました。窓にはレースのカーテンがかかっていました。それから僕は野球場を外野のフェンスに沿ってレフトからサードの方にまわりました。そしてサード・ベースのわきのちょうどうまい場所に建ったおんぼろアパートをみつけたんです」

「僕はそのアパートの管理人をみつけて、二階に空き部屋がないかどうか訊ねました。ちょうどうまい具合に季節は三月のはじめで、部屋はいくつか空いていました。それで僕はその部屋をひとつひとつまわって、僕の目的にぴたりとかなった部屋を選んで、そこに住むことに決めました。もちろん彼女の部屋がばっちりと見える場所です。その一週間のうちに僕は荷物をまとめて、その部屋に越してきました。建物は古くて窓が北東の向きだったもので、部屋代は驚くほど安くあがりました。次に僕は実家に帰って——実家は小田原にあるので、僕はいつも週末には家に帰っていたんですが——父親にたのんでとびきり大きいカメラの望遠レンズを借りてきました。そしてそれを三脚にとりつけて窓際に置き、彼女のアパートの部屋が見えるようにセットしました。はじめからのぞきをやろうって気はなかったんです。でもためしに望遠レンズで見てみようと思いついて、実際にやってみると、部屋の中が嘘みたいにはっきりと見えました。まるで手にとるようにです。本棚にある本のタイトルも読みとれるくらいでした」

それから彼は一息ついて、煙草を灰皿につっこんで消した。「どうします？　最後まで話しますか？」

「もちろん」と僕は言った。

「新学期が始まると彼女はアパートに帰ってきました。それで僕は彼女の生活をたっぷりと眺めることができるようになりました。彼女のアパートの前は河原で、その向うは野球場で、おまけに部屋が三階だったので、彼女は自分の生活が誰かにのぞかれているなんて、思いもかけないようでした。まったくの僕の狙いどおりでした。夜になると彼女はいちおうレースのカーテンをひきましたが、そんなもの部屋の中に明かりがついてりゃ何の役にも立ちゃしません。それで僕は心ゆくまで彼女の生活ぶりや、それから体なんかを眺めることができました」

「写真はとったの?」

「いいえ」と彼は言った。「写真はとりませんでした。そこまでやると自分がすごく汚なくなっちゃいそうな気がしたんです。もっともただ眺めているだけだってずいぶん汚ないことかもしれないけど、それでもやはり一線は画さなくちゃっていう気がしたんです。だから写真はとりませんでした。ただじっと見ていただけです。でも女の子の生活を逐一眺めるっていうのは本当に変なものでした。僕は女の姉妹《きょうだい》がいなかったし、特定の女の子とくに深くかかわったことがなかったので、女の子が普段の生活でどんなことをしているかなんてまるで何も知らなかったんです。それで、いろんなことが僕にとっては驚きであり、少なからずショックでした。細かいことはちょっとしゃべりにくいんで言いませんが、やはりずいぶん変なものです。おわかりになりますか?」

わかると思う、と僕は言った。

「そういうことは一緒に顔をつきあわせて暮しているとだんだん馴れてくることなのかもしれません。でもそれが唐突に拡大されたフレームの中にとびこんでくると、それは相当にグロテスクなもんです。もちろんそういうグロテスクさを好む人々が世間に少なからずいることは僕にもわかっています。しかし僕はそういうタイプじゃありません。そういうのを見ていると、哀しくって、息苦しいんです。それで僕は一週間ばかりのぞき見をつづけたあとで、もうこういうことはやめようと決心したんです。僕は望遠レンズをカメラからはずして、三脚といっしょに押入れに放りこみました。そして窓辺に立って彼女のアパートの方を眺めました。外野のフェンスのちょっと上の、ちょうどライトとセンターの中間のあたりに、彼女のアパートの灯が見えました。そういう風に見ていると、僕はいろんな人々の日々の営みに対して、幾分やさしい気持になることができました。そしてこれでいいんだと思いました。彼女に決まった恋人がいないらしいことは一週間の観察の結果だいたいわかったし、まだ今ならいろんなことをさっぱりと忘れてもとの場所にひきかえせるんじゃないか、つまり明日にでも彼女にデートを申しこんで、うまくいけばそれから恋人同志になれるんじゃないか、と僕は思いました。でもものごとはそう簡単にははこびませんでした。僕にはもう彼女の生活をのぞかないでいることはできなくなっていたからです。野球場の向うに見えるぼんやりとしたアパートの灯を見ていると、僕の体の中にはそれを拡大して切り刻んでしまいたいという欲求がどんどん大きくなっていくのがわかりました。そして、それを抑えきることは僕の意志の力では不可能でした。ちょうど口の中で舌がどんどんふくらんで、しまいには窒息してしまうのと同じようなかんじです。それはなんといえばいいのか、セクシュアルな感情であり、それと同時に非セクシュアルな感情なんです。まるで液体みたいに僕の中の暴力性が毛穴から浸みだしてくるようなそんなかんじなんです。そういうものを止めることはたぶん誰にもできないんじゃないかと僕は思います。そんな暴力性が僕の体の中にひそんでいたなんてそれまで僕自身にも認識できなかったんです」

「そんなわけで、僕は押入れの中からまたカメラと望遠レンズと三脚をひっぱりだして前と同じようにセットし、彼女の部屋を眺めつづけました。そうしないわけにはいかなかったんです。それは、彼女の生活をのぞき見するというのは、既に僕の体の機能の一部みたいになっていました。だから目の悪い人が眼鏡を外すことができなくなるみたいに、映画に出てくる殺し屋が手もとから拳銃をはなせないみたいに、僕はカメラのファインダーが切りとる彼女の空間なしには生活していくことができなくなっていたんです」

「当然のことながら、僕は世の中のその他のいろんなものごとに対する興味を少しずつ失っていきました。学校にもクラブにもほとんど顔を出さないようになりました。テニスとかバイクとか音楽とか、それまで結構夢中だったこともだんだんどうでもいいようになってきて、友だちづきあいもすっかり減ってしまいました。クラブに顔を出さなくなったのは、彼女と顔を合わせるのがだんだん辛くなってきたからでした。それから彼女が僕に向って突然指をつきつけて、みんなのいる前で『あなたのやっていることはぜんぶわかっているわよ』と言いだすんじゃないかという恐怖心もありました。もちろんそんなことは現実に起こりえないということはちゃんとわかっていました。だってもし彼女が僕の行為に気づいていたとしたら、なんのかんのと言う前にまず窓にぶ厚いカーテンを下ろしますからね。でもそれにもかかわらず、みんなの前で僕の背徳行為が――背徳行為ですよね、明らかに――すっかり暴かれて、みんなに糾弾され蔑まれ、そのまま社会から放逐されてしまうんじゃないかという悪夢から僕は逃れることができませんでした。じっさい何度も何度もそういう夢を見て、汗ぐっしょりになってとび起きました。それでほとんど学校にも行かなくなっちゃったんです」

「服装のこともまるで気をつかわないようになりました。僕はもともと身なりをきちんとしている方が好きなたちなんですが、それががらりと変ってしまって、同じ服をずっとどろどろになるまで着ているような具合になってしまいました。髭なんてロクに剃らないし、床屋にも行きませんでした。おかげで部屋は腐ったドブみたいな臭いがしました。ビールの缶やらインスタント食品の空箱やらあたりかまわずつっこんだ煙草の吸殻やら、そんなものが部屋じゅうにまるで吹きだまりか何かみたいにちらばっていて、その中で僕は彼女の姿を追いつづけていました。そんな具合に三ヵ月ばかりが経って夏休みがやってきました。夏休みがやってくると彼女は待ちかねていたように北海道の実家に帰りました。僕は彼女が帰省用のスーツケースに本やらノートやら服やらを詰めている作業を望遠レンズでずっと追っていました。彼女は冷蔵庫のコンセントを抜いてガスの元栓を閉め、窓の戸じまりをたしかめ、電話を何本かかけ、それからアパートを出ていきました。彼女が出ていってしまうと、世界じゅうががらんとしてしまいました。彼女の出ていったあとには何ひとつ残ってはいませんでした。彼女は世界にとって必要なものを何から何まで身につけて出ていってしまったようでした。それで僕はからっぽになってしまいました。生まれてこのかたあれほど空虚な思いをしたことはありません。ちょうど心の中から出ている何本かのコードをわしづかみにされて力まかせに引きちぎられたような、そんな具合でした。胃がむかむかとして、何を考えることもできませんでした。僕は孤独で、一瞬一瞬もっと惨めな場所に向けて押し流されていっているような気がしました」

「でもそれと同時に、僕は心の底からホッとしていました。結局のところ僕は解放されたんです。彼女がいなくなってしまうことで、僕は自分の力ではどうしようもなかった泥沼から抜けだすことができたんです。そのふたつの思いが——つまりもっとどこまでもどこまでも彼女の生活を拡大してみたいという思いと、自分は解放されたんだという思いです——僕の体をふたつのまったく逆の方向にひっぱっていて、僕は彼女がいなくなってからの何日かのあいだ、ひどく混乱していました。でもその何日かが過ぎてしまうと、僕はすこしまともになりました。僕は風呂に入って床屋に行き、部屋をかたづけ、洗濯をしました。そして僕はだんだんもとの僕に戻っていきました。あまりにも僕が簡単にもとの僕に戻ってしまったので、僕は自分自身が信用できなくなってしまったくらいでした。本当の僕はいったい何なんだってね」

彼は笑って膝の上で両手の指を組んだ。

「一夏中僕は勉強しました。学校にあまり行かなかったせいで、僕の単位は風前の灯でした。当面の問題は休みあけに行われる前期試験で、僕は出席不足をカバーするためにはかなり良い成績を取らねばなりませんでした。僕は実家に帰って、ほとんど何処にも出かけずに試験勉強をしました。そうしているうちに、僕はだんだん彼女のことを忘れていきました。そして夏休みもほとんど終りになって、気がついてみると、僕はもう以前ほどは彼女に夢中ではありませんでした」

「うまく説明できないんですが、のぞき見をすることによって、人は分裂的な傾向に陥るんじゃないかと僕は思うんです。あるいは拡大することによってと言った方が良いのかもしれませんけれどね。つまりこういうことです。僕の望遠レンズの中で、彼女はふたつに分かれるんです。彼女の体と彼女の行為にです。もちろん通常の世界では体が動くことによって行為が生じます。そうですよね？　でも拡大された世界ではそうじゃないんです。彼女の体は彼女の体であり、彼女の行為は彼女の行為です。じっと見ていると、彼女の体はただ単にそこにあり、彼女の行為はそのフレームの外側からやってくるような気がしてくるんです。そうすると彼女とはいったい何か、と考えはじめるんです。行為が彼女なのか、あるいは体が彼女なのか？　そしてそのまん中がすっぽり欠落しちゃうんです。それにはっきり言って、体から見ても行為から見ても、そういう風に断片的に見ている限り人間存在というのは決して魅力的なものではありません」

彼はそこでひとまず話を終えて、ビールの追加を注文した。そして僕のグラスと自分のグラスに注いだ。彼はビールをひとくちかふたくちか飲み、それからしばらく考え込むように黙った。僕は腕を組んで話のつづきを待った。

「九月になって、僕は学校の図書館でばったり彼女と出会いました。彼女はまっ黒に日焼けしてとても元気そうに見えました。彼女の方から僕に声をかけてきました。いったいどうすればいいのか、僕にはよくわかりませんでした。彼女の乳房やら陰毛やら、彼女が毎晩寝る前にやる体操やら、洋服だんすに並んだ彼女の洋服やら、そういういろんな断片がいっしょくたになって僕の頭の中に押し寄せてきました。まるで泥だらけの地面に力ずくでたおされて顔をぐいぐいと泥の中におしつけられているような、そんな気分でした。わきの下に汗がにじんできました。ひどく不快な気分でした。そういう感じ方が不公平であるということはよくわかっていたんですが、僕にはそれをどうすることもできませんでした。『久し振りね』と彼女は言いました。『みんな心配してたのよ、ずっとあなたが姿を見せないから』。それで僕は『ちょっと病気をしてたんだ。でももう大丈夫』と言いました。『そういえば痩せたみたいね』と彼女は言いました。僕は反射的に手で自分の頰を触ってみました。僕はたしかにその頃普通より三キロか四キロ痩せていたと思います。それから我々は少し立ち話をしました。誰がどうしてるとかこうしてるとかいった他愛のない話です。そのあいだ僕は彼女の右わき腹にあるあざのことを考えていました。それからぴったりとした服を着るときに大きなガードルでおなかと尻を締めつけていることを考えていました。彼女は僕にお昼ごはんを食べたかと訊きました。本当は食べてなかったんですが、もう済ませたと僕は答えました。それにどうせ食欲なんてなかったんです。じゃあお茶でも飲む？　と彼女は言いました。僕は時計を見て、残念だけど友だちにノート・コピーを借りる約束してるんだと言いました。そんな具合に我々は別れました。僕は汗ぐっしょりになっていました。しぼれば水たまりができるくらい服はぐしょぬれになっていました。とてもねばねばとして、嫌な匂いのする汗でした。それで僕は体育館のシャワーをあびて、大学の売店で買った新しい下着に着がえなきゃなりませんでした。僕はそのすぐあとでクラブをやめて、それ以来彼女とはほとんど顔も合わせませんでした」

彼は新しい煙草に火をつけ、美味そうに煙を吐いた。「そういう話です。あまりおおっぴらにできる話じゃありませんがね」

「そのアパートにはそのあとも住んでいたの？」と僕は訊ねてみた。

「そうですね、その年の暮までそこに住んでいました。でももうのぞき見はやりませんでした。望遠レンズも父親に返しました。まるでつきものが落ちるみたいに、そういう欲求がなくなってしまったんです。僕はときどき夜になると窓辺に座って野球場の向うに見える彼女のアパートの小さな灯を眺めて、ぼんやりと時を過ごしました。小さな灯というのはとてもいいもんです。僕は飛行機の窓から夜の地上を見下ろすたびにそう思います。小さな灯というものはなんて美しくて暖かいんだろうってね」

彼は口もとに微笑を浮かべたまま目をあげて僕の顔を見た。

「僕は今でも彼女と最後に話をしたときのあの汗のねばねばとした感触と嫌な臭いをはっきりと覚えています。そして僕はああいう汗だけはこの先二度とかきたくないと思っているんです。もしそれが可能であるなら、ということですがね」と彼は言った。

ハンティング・ナイフ

沖あいには、平らな浮き島のように大きなブイがふたつ、横に並んで浮かんでいた。波打ち際からブイまでがクロールで50ストローク、ブイからブイまでが30ストロークあった。泳ぐのにはほど良い距離である。

ひとつのブイの広さは部屋でいうと六畳間といった見当で、それが双子の氷山みたいにぽっかりと海の上に浮かんでいるわけだ。水はとても、どちらかといえば不自然なくらいきれいに澄んでいて、上からのぞきこむと、ブイをつなぎとめた太い鎖やその先のコンクリートのおもり石までくっきりと見えた。水深はだいたい五メートルから六メートルというところだろう。波と呼べるほどのたいした波は立たなかったので、ブイはほとんど揺れることもなく、まるで長い釘でしっかりと海底に打ちつけられたみたいにじっとしていた。ブイのわき腹には梯子がひとつとりつけられ、表面には緑色の人工芝がぴったりと敷きつめられていた。

ブイの上に立って海岸の方に目をやると、長く横にのびた白い砂浜や、赤く塗られたライフガードの監視台や、一列に並んだやしの木の緑の葉が見わたせた。なかなかの眺めだったが、どことなく絵葉書みたいだった。しかしこれが現実なのだから、まあ文句のつけようもない。海岸線をずっと右に目でたどり、砂浜が切れて、ごつごつとした黒い岩場が顔を見せはじめるあたりに、僕の滞在しているコッテージ式のホテルが見えた。ホテルは白い壁の二階建てで、屋根の色はやしの葉よりはほんの少し濃い緑だった。季節は六月の末でまだシーズンには間があったので、海岸には数えられるほどの人影しかなかった。

ブイの上空は米軍基地に向う軍用ヘリコプターの通りみちになっていた。彼らは沖あいからまっすぐにやってきて、ふたつのブイのちょうどまん中あたりを通り、やしの木の列を越えて内陸の方へと飛び去っていった。目をこらすとパイロットの顔まで見えそうなくらいの低空飛行だった。機体は重々しい色調のオリーヴ・グリーンで、鼻先からは昆虫の触手のようなまっすぐなレーダー・アンテナが前方につきだしていた。でもその軍用ヘリコプターの飛来をべつにすれば、それはほんとうに眠りこんでしまいそうなほど静かで平和な海岸だった。

我々の部屋は二階建てコッテージの一階にあり、窓は海岸に面していた。窓のすぐ下にはつつじによく似た赤い花が咲き乱れ、その向うにやしの木が見えた。庭の芝生はきれいに刈りこまれ、扇状に首を振るスプリンクラーがカタカタという眠たげな音をたてながら一日まわりに水をまいていた。窓枠はしっくりとした日に焼けた緑で、ベネシャン・ブラインドはほんの少し緑を混ぜただけの白だった。部屋の壁にはゴーギャンのタヒチの絵が二枚かかっていた。

コッテージの一棟は四部屋にわかれていた。一階に二部屋、二階に二部屋である。我々の隣りの部屋には親子づれが二人で泊まっていた。彼ら二人は我々がやってくる前からずっとそこに滞在していたようだった。我々が最初にこのホテルについてカウンターでチェック・インし、鍵を受けとったり荷物をはこばせたりしているあいだ、その物静かな二人はロビーのふかぶかとしたソファーに向いあって腰を下ろし、新聞を広げて読んでいた。母親も息子もそれぞれの新聞を手に、まるで定められた時間を人工的にひきのばそうとしているみたいに新聞の隅から隅まで目をとおしていた。母親は60に近い五十代、息子の方は我々と同じくらいの年代、28か29というところだった。二人とも顔だちがほっそりとしていて額が広く、いつもまっすぐに唇をむすんでいた。これほどよく風貌の似た母子というのを、僕はそれまでに見たことがなかった。母親はその年代の女性にしては驚くほど背が高く、背筋がまっすぐにすらりと伸びて、手足の動きもきびきびとしていた。二人ともなんだか仕立ての良いテーラード・スーツのような感じだった。

息子の方も体の格好から推測すると母親同様背がかなり高そうだったが、実際にどの程度の高さなのかは僕にはわからなかった。彼はずっと車椅子に座ったきり一度も立ちあがらなかったからである。いつも母親がうしろに立って、その車椅子を押していた。

夜になると彼は車椅子からソファーに移り、そこでルーム・サービスでとった夕食を食べ、あとは本を読むか何かして過ごしているようだった。

部屋にはもちろんクーラーがついていたが、母子はそのスイッチを切りっぱなしにして、いつも入口のドアを開け、涼しい海風をとおしていた。たぶんクーラーの風が彼の体に良くないのだろうと我々は推測した。彼らのドアの前を通らずには部屋の出入りができなかったので、我々はそのたびに彼らの姿を目にとめないわけにはいかなかった。入口にはすだれのようなスクリーンがかかって一応目かくしの役を果たしてはいたが、それでもおおよそのシルエットはいやでも目についた。二人はいつもソファー・セットに向いあって座り、本か新聞か雑誌か、そういうものを手にとっていた。

彼らはほんとうに無口だった。彼らの部屋はいつも博物館みたいにしんとしていて、TVの音も聞こえなかった。冷蔵庫のモーター音までが聞こえそうなほどだった。二度ばかりラジオの音楽が聞こえたことがあった。ひとつはクラリネットの入ったモーツァルトの室内楽で、もうひとつは僕の知らない管弦楽の曲だった。たぶんリヒアルト・シュトラウスかそのあたりだと思うけれど、僕にはよくわからない。しかしそれをべつにすれば、あとはほんとうにしんと静まりかえっていた。それは親子というよりは、老夫婦の泊まった部屋のようだった。

食堂やロビーや廊下や庭の散歩道で、我々とその母子はよく顔をあわせた。もともとがこぢんまりとした規模のホテルである上に、シーズン前で客の数もまだ少なかったから、いやでもお互いの顔が目につくことになる。顔をあわせると、我々はどちらからともなく会釈した。母親と息子とでは会釈のしかたが少しちがった。息子の方は顎と目をちらりと動かす程度の微かな会釈で、母親の方はかなりきちんとした会釈だった。しかしいずれにせよ、彼らの会釈から受ける印象は同じような程度のものだった。それは会釈にはじまって会釈に終り、その先のどこにも行かなかった。

我々はホテルのダイニング・ルームでその親子と隣りあわせてもひとことも口をきかなかった。我々は我々二人のあいだの話をし、親子は親子のあいだの話をした。我々は子供を作るかどうかや、引越しや借金や仕事の将来のことなんかを話しあった。それは我々二人にとって二十代最後の夏だった。親子がどんなことを話しあっていたのかは僕にはわからない。彼らはだいたいが無口だったし、口を開いてもおそろしく声が小さかったので――まるで読唇術でも使っているみたいだった――僕にはとてもその内容を聞きとることはできなかった。

それから彼らは実に静かに、割れものでも扱うみたいにそっと食事をした。ナイフやフォークやスプーンの音さえも、ほとんど聞こえなかった。ときどき彼らの一切はまぼろしで、うしろのテーブルを振りかえってみると何もかもが消滅しているのではないかという気がするほどだった。

朝食を済ませると、我々は毎日アイスボックスを持ってビーチにでかけた。我々は体に日焼けオイルを塗って、ビーチマットに寝転んで体を焼いた。そしてそのあいだ僕はビールを飲みながらカセット・テープ・プレイヤーでローリング・ストーンズだかマーヴィン・ゲイだかを聴き、彼女は「風と共に去りぬ」の文庫本を読みかえしていた。太陽は内陸から姿を見せ、ヘリコプターとは逆の進路を辿って水平線に沈んだ。

いつも二時頃になると、車椅子の親子がビーチにやってきた。母親はさっぱりとした地味な色あいの半袖のワンピースに革のサンダルをはき、息子の方はアロハ・シャツかポロシャツと綿のスラックスといった格好だった。母親はつばの広い白いわらの帽子をかぶり、息子は無帽でレイバンの濃い緑のサングラスをかけていた。二人はやしの木の葉かげに座って、何をするともなくじっと海を見ていた。葉かげが移動すると、彼らもそれにあわせて少し移動した。二人は携帯用の銀色のポットを持参していて、ときどきそこから紙コップに飲みものを注いで飲んだ。何を飲んでいるのかはわからない。それから二人でクラッカーのようなものを食べていることもあった。

二人は三十分ほどでどこかに引きあげてしまうこともあったし、三時間もそこにじっとしていることもあった。泳いでいると、体の上に彼らの視線を感じることもあった。ブイのあたりからやしの木の列までは相当の距離があったから、それは本当は僕の錯覚なのかもしれないが、でもブイに上ってやしの木の葉かげの方に目をやると、彼らはたしかに僕の方を見ているように思えた。ときどき彼らの銀色のポットがナイフのようにきらりと光るのが見えた。ブイの上にうつぶせに寝転んでぼんやりと彼らの姿を眺めていると、だんだん距離のバランスが失われていくような感じがすることがあった。ほんのちょっと手をのばせば彼らの手が僕の体に届きそうな気がした。50ストロークぶんの冷たい水なんて、まるっきり意味のない存在に思えたりもした。どうしてそんな風に感じるのかは、自分でもよくわからなかった。

そんな日々が、高い空を流れる雲のようにゆっくりと過ぎていった。一日と一日のあいだにははっきりと区別できるようなきわだった特徴はなかった。日が上り、日が沈み、ヘリコプターが空を飛び、僕はビールを飲み、泳いだ。

ホテルを引きあげる前日の午後、僕は最後のひと泳ぎをした。妻は昼寝をしていたので、僕は一人で泳いだ。土曜日のせいで、海岸の人出はいつもよりはいくぶん多かったが、それでもやはりビーチはがらんとすいていた。何組かの男女が砂の上に寝そべって肌を焼き、家族づれが波打ちぎわで水あそびをし、何人かは岸からそれほど距離のないところで泳ぎの練習をしていた。海軍基地からやってきたらしい一団のアメリカ人がやしの木にロープをはって、ビーチ・バレーボールをやって遊んでいた。みんなよく日焼けして背が高く、髪を短かく刈りこんでいた。兵隊というのはいつの時代でも同じような顔つきをしている。

見わたしたところ、ふたつのブイの上には人影は見えなかった。太陽は高く、空には一片の雲もなかった。時計の針は二時をまわっていたが、車椅子の親子の姿は見あたらなかった。

僕は足を水につけ、胸のあたりの深さになるまで沖に向って歩き、それから左側のブイにむけてクロールで泳ぎはじめた。肩の力を抜き、水を体にまとうようなつもりで、ゆっくりと泳いだ。急がなくてはならない理由は何もない。右手を水から抜いてまっすぐ前方にのばし、それから左手を抜いてのばす。左手をのばすのと同時に水から顔をあげて、新鮮な空気を肺の奥に送りこむ。水がはねると、それが太陽の光に白く染まった。何もかもが僕のまわりできらきらと輝いていた。いつものようにストロークの数を数えながら泳いだ。40まで数えてから前方に目をやると、ブイはもうすぐそこにあった。それからぴったりと10ストロークで、僕の左手の先がブイの側板に触れた。正確にいつものとおりだった。僕はそのまましばらく海に浮かんで呼吸をととのえてから、梯子をつかんでブイの上に上った。

ブイの上には思いがけなく先客がいた。ブロンドの髪のみごとに太ったアメリカ人の女だった。ビーチから眺めたときにはブイの上には人の姿がないように思えたのだが、それは彼女がブイのいちばん奥の端に寝転んでいたので、目につきにくかったせいかもしれない。あるいは僕が見たとき、彼女はたまたまブイのかげになったあたりを泳いでいたのかもしれない。でもいずれにせよ、彼女はブイの上にうつぶせになって寝転んでいた。彼女はよく畑に立っている農薬散布注意の旗みたいなひらひらとした赤い小さなビキニを身につけていた。彼女はほんとうにまるまると太っていたので、ビキニは実際以上に小さく見えた。泳ぎに来て間もないらしく、肌はレターペーパーのように白かった。

僕が水をしたたらせながらブイに上ると、彼女はほんの少し目を上げて僕の姿を眺め、それからまた目を閉じた。僕は女が寝ているのとは反対側の端に腰を下ろし、両脚の先を水につけて海岸の風景を眺めた。

やしの木の下には、まだ親子の姿はなかった。やしの木の下にも、ほかのどの場所にも、彼らの姿はなかった。海岸のどこにいても、彼らのしみひとつない銀色の車椅子は嫌でも目についてしまうのだ。見逃しようもない。彼らは二時になるといつも判で押したように海岸に姿を見せていたので、彼らの姿が見あたらないことで僕はなんとなく手持ち無沙汰のような気分になってしまった。習慣というものは不思議なものだ。ほんのちょっとした要素が欠けただけで、自分が世界の一部から見放されたような気分になってしまうのだ。

あるいは二人はもう既にホテルを引き払ってどこか――どこでもいい、彼らがもともと存在していた場所――に帰ってしまったのかもしれない。でもついさっきランチ・タイムにホテルのレストランで顔をあわせたとき、彼らにはそんな気配はいささかも見受けられなかった。二人は時間をかけて〈本日のランチ〉を食べ、食後に息子はアイスティーを飲み、母親はプディングを食べていた。それからすぐに荷づくりにかかるという風でもなかった。

僕は女と同じような格好でうつぶせになり、小さな波がブイの側板を打つ音に耳を澄ませながら、十分ばかり体を焼いた。白い海の鳥がまるで定規を使って空に線を引いたようにまっすぐに陸に向って飛んでいくのが見えた。耳の中に入った水滴が太陽の光で少しずつ熱くなっていくのが感じられた。強い午後の日差しが無数の針となって陸や海の上に降り注いでいた。体を濡らしていた海水が蒸発してしまうと、そのすぐあとに汗が吹きだしてきて全身をおおった。

暑さに我慢できなくなって顔をあげると、女の方は既に体を起こして、両手を膝にあてて空を見ていた。彼女も僕と同じようにたっぷりと汗をかいていた。小さな赤いビキニがむくんだ白い肉にしっかりとくいこんでいて、丸い汗の玉が獲物にむらがる微小な虫のようにそのまわりをおおっていた。腹のまわりにはまるで土星の輪のように脂肪が付着し、手首や足首のくびれさえもが今にも消え失せようとしている。彼女は僕よりは幾つか上に見えた。もっともそれほどの差があるわけではない。二つか、せいぜい三つというくらいだろう。

女の太り具合には不健康な印象はなかった。顔だちも悪くない。ただ肉がつきすぎているだけなのだ。磁石が鉄粉を吸い寄せるように、脂肪がごく自然に彼女の体にまつわりついてくるのだ。彼女の脂肪は耳のすぐ下からはじまり、なだらかなスロープを描いて肩に下り、そのまま腕のむくみへと直結していた。まるでミシュラン・タイヤの看板のタイヤ男みたいだった。彼女のそんな太り方は、僕に何かしら宿命的なものを想起させた。世の中に存在するあらゆる傾向はすべて宿命的な病いなのだ。

「すごい暑さじゃない?」と向うの端から女が英語で僕に声をかけた。大抵の太った女がそうであるように、少し甘ったるいかんじのする高い声だった。低い声を出す太った女にはあまり会ったことがない。どうしてなのかわからない。

「まったくね」と僕は返事をかえした。

「ねえ、今何時ごろかわかるかしら?」と女が訊ねた。

僕はたいした意味もなくビーチに目をやってから「二時三十分か四十分か、たぶんそのあたりでしょう」と言った。

「ふうん」と女はあまり気がなさそうに言った。それから指をへらのように使って、鼻の頭と盛りあがった両方の頬についた汗を拭った。時間が何時であろうが、そんなことは彼女にはあまり関係のないことのように思えた。ただ何かを訊いてみたかっただけのことなのだ。時間というのは純粋に独立した存在なので、そのように独立してとりあつかうことが可能なのだ。

僕としてはそろそろ冷たい水の中にとびこんでもうひとつのブイまで泳ぎたい気分だっ

たが、彼女との会話を避けているように思われるのが嫌だったので、それはもう少しあとにすることにした。僕はブイの端に腰をかけたまま、女が何かを話しはじめるのを待った。じっとしていると汗が目の中に入って、その塩気で眼球がちくちくと痛んだ。肌がはりつめてところどころで裂けてしまいそうなほどの日差しだった。

「毎日いつもこんなに暑いのかしら?」と女が僕に訊ねた。

「そうですね。ずっとこんなものだな。今日は雲がまったくないから、そのぶん暑いことは暑いけれど」と僕は言った。

「長くここにいるんでしょ、あなた? すごくまっ黒に日焼けしているものね」

「九日、かな」

「ほんとによく焼けてるわ」と女は感心したように言った。「私は昨日《きのう》の夕方着いたばかりなの。着いたときは夕立ちがちょうどあったんで涼しかったけど、こんなに暑くなるとは思わなかったわね」

「あまり急に体を焼いちゃうとあとがつらいですよ。ときどき日かげに戻らないと」と僕は言った。

「私は軍の家族専用のコッテージに泊まっているの」と彼女は僕の忠告を無視して言った。

「兄が海軍の将校で、遊びに来ないかって呼んでくれたの。海軍も悪くないわよ。食いっぱぐれはないし、サービスはしっかりしてるし。私の学生の頃はヴェトナム戦争たけなわで、身内に職業軍人がいるってだけで肩身が狭かったものだけど、変るものよね世の中って」

僕はあいまいに肯いた。

「海軍って言えば、私の前の亭主も海軍あがりだったわ。海軍の航空隊、ジェット・パイロット。ねえ、あなたユナイティッド・エアラインって知ってる？」

「知ってますよ」

「彼は海軍を除隊して、そこのパイロットになったのよ。私は当時スチュワーデスで、それで仲良くなってね、結婚したの、あれはナインティーン・セヴンティー……何年だったかしら、とにかく六年くらい前のこと。まあよくある話だけど」

「そうなんですか？」

「そう。エアラインの機内スタッフは勤務時間がなにしろでたらめだから、どうしても仲間どうしでくっついてしまうことになるの。一般の人とは神経の使いかたがちょっと違う仕事だしね。だから私が結婚して仕事をやめちゃうと、彼はまたべつのスチュワーデスをみつけてできちゃったってわけ。そういうこともよくあるのよ。スチュワーデスからスチュワーデスへとわたり歩くの」

「今はどこに住んでるんですか？」と僕は話題を変えた。

「ロス・アンジェルス」と女は言った。「あなたロスに行ったことある？」

「ノオ」と僕は言った。

「私はロスで生まれたの。それから父親の仕事の関係でソルトレーク・シティーに移ったの。ソルトレーク・シティーに行ったことは？」

「ノオ」と僕は言った。

「あんなところ行くもんじゃないわよ。ハイスクールを出てフロリダの大学に行って、大学を出てニューヨーク・シティーに行って、結婚してサン・フランシスコ、それから離婚してまたロス・アンジェルス。結局振りだしに戻っちゃったわけね」、彼女はそう言って首を振った。

彼女みたいによく太ったスチュワーデスを僕はこれまでに見たことがなかったので、なんだか少し不思議な気持になった。体格の良いレスラーのようなスチュワーデスや、腕が太くてうっすらと口髭がはえたスチュワーデスなら何度か見たことがあるが、ぶくぶく太ったスチュワーデスとなると話はべつだった。でもユナイティッド・エアラインはそんなことはあまり気にしないのかもしれない。あるいはその当時は今よりずっとやせていたのかもしれない。彼女はたしかにやせていればそれなりに魅力的な女性であったかもしれないと僕は推測した。たぶん彼女は結婚して地上におりてから急激に、飛行船のように太りはじめたのだろう。彼女の腕と脚はまるで誇張されたイノセント・アートの人物像のようにむっくりと白く膨らんでいた。

そんな風に太るというのはどういう気がするものなのだろう、と僕はちょっと考えてみた。しかし暑さのせいで、僕にはほとんど何も考えることはできなかった。世の中には想像力に適した気候と適さない気候があるのだ。

「あなたはどこに泊ってるの？」と女が僕に訊ねた。

僕は自分の泊っているコッテージ・ホテルを指して教えた。

「一人で来てるの？」

「いや」と言って、僕は首を振った。「女房と一緒です」

女はにっこりと微笑んで、首を少し曲げた。

「新婚旅行？」

「結婚して六年です」と僕は言った。

「ふうん」と女は言った。「そんな年には見えないわよ、あなた」

僕はなんとなく気づまりになって姿勢を変え、またビーチに目をやった。赤く塗られた監視台の上にはあいかわらず人影はなかった。泳いでいる人間の数が少ないので、ライフガードの青年は退屈してすぐどこかに消えてしまうのだ。彼がいなくなるとそのあとには〈ライフガード不在・各自の責任で泳いで下さい〉という札がかかることになる。ライフガードはまっ黒に日焼けした無口な青年だった。最初にビーチに出たとき、僕は彼に「このあたりに鮫はいるか」とたずねてみた。彼はしばらく黙って僕の顔を見てから、両手を80センチくらいに広げて見せた。「いてもこれくらい」ということなのだろう。それで僕は安心して一人で泳いだ。

車椅子の母子の姿もまだ見えなかった。彼らがいつも座っているベンチには、白い半袖のシャツを着た老人が一人で座って新聞を読んでいた。アメリカ人たちはまだバレーボールをつづけていた。波打ちぎわでは小さな子供たちが砂の城を作ったり互いに水をかけあったりして遊んでいた。そのまわりで、波が細かい泡となって砕けていた。

やがて沖あいから二機のオリーヴ・グリーンのヘリコプターが姿を現わし、まるで重大なしらせを運ぶギリシャ悲劇の中の特使のように重々しく我々の頭上を轟音とともに通りすぎ、内陸へと消えていった。そのあいだ我々は黙ってその巨大な飛行体をじっと目で追っていた。

「ねえ、あんな風に空から私たちを見下ろしていると、私たちの姿はすごく幸せそうに見えるんじゃないかしら？」と女は言った。「とても平和そうで、楽しそうで、何も考えてないみたいで。ちょうど、そうね……家族写真みたいに。そう思わない？」

「そうかもしれないですね」と僕は言った。

それから僕は潮どきをつかまえて彼女に別れを告げて海にとびこみ、岸まで泳いだ。僕は泳いでいるあいだずっとアイスボックスの中の冷えたビールのことを考えていた。途中で泳ぎをやめてブイの方を振り向くと、彼女は僕に手を振った。僕も軽く手をあげた。遠くから見ると、彼女は本物のイルカみたいに見えた。そのまま鰭《ひれ》がはえて、海の底に戻っていってしまうんじゃないかという気がするほどだった。

部屋に帰って短かい午睡をとり、六時になると食堂でいつものように夕食を食べたが、親子の姿は見えなかった。食堂から戻ったときも、いつもとは違って彼らの部屋の扉はぴたりと閉ざされたままだった。くもりガラスの小さなはめこみ窓から部屋の灯りがこぼれていたが、親子がまだそこに滞在しているのかどうか、僕には判断することができなかった。

「あの二人はもう引きあげちゃったのかな」と僕は妻にたずねてみた。

「さあどうなのかしら。気がつかなかったわ。もともとがひっそりとした人たちだし、とくに注意もしてなかったから、わかんないわ」と彼女はワンピースをたたんでスーツケースにつめながら、興味なさそうに言った。「それがどうかしたの?」

「いや、べつに。珍しく二人とも海岸に姿を見せなかったからさ、それでちょっと気になったただけだよ」

「じゃあたぶん、もう引き払ったんでしょう。あの人たちもずいぶん長くここに泊っていたみたいだから」

「そうだな」と僕は言った。

「みんな遅かれ早かれどこかに引きあげていくのよ。いつまでもいつまでも、こんな生活がつづくというものでもないものね」

「そりゃね」と僕は言った。

彼女はスーツケースのふたを閉め、それをドアのわきに置いた。スーツケースは何かしらの影のように、そこに静かにうずくまっていた。我々の休暇はやがて終ろうとしているのだ。

僕は目をさましたとき、すぐに枕もとのトラベル・ウォッチに目をやった。緑色の夜光塗料を塗った針は一時二十分を指していた。僕が目をさましたのは異様に激しい動悸のせいだった。まるで何かに体ぜんたいを揺り動かされているような具合だった。心臓のあたりに目をやると、胸の肉がぴくぴくと小刻みに震えているのが夜目にもはっきりと見えた。それは僕にとってははじめての体験だった。僕は昔から心臓がとびきり丈夫で、脈拍数も人よりずっと少ない。スポーツは好きな方だし、病気ひとつしたことがない。だからこんな風に、何かの発作みたいに、胸がたかぶるということは、まずありえないのだ。

僕はベッドからカーペットの上におりて、あぐらをかき、背筋をまっすぐにのばして深く息を吸いこみ、そして吐いた。肩の力を抜き、そのあたりに神経を集中した。体をやわらかくするための筋肉ストレッチングのようなものだが、何度かそれをつづけているうちに少しずつ動悸は弱まり、やがてはいつものような、よほど注意しなければ感知することのできない程度のぼんやりとした小さなうねりへと後退していった。

たぶん泳ぎすぎたのだろう、と僕は思った。それから強い日差し、疲労の蓄積——そういったものがいくつかかさなって、僕の体をほんの一瞬ゆるがせることになったのだ。僕は壁にもたれて脚をまっすぐに伸ばし、手足をいろんな方向にゆっくりと動かしてみた。どこにも異状はない。心臓の動きもすっかり平常に復していた。

しかしそれでも、そのコッテージの部屋のカーペットの上で、僕は自分がもう青年期をつき抜けてしまって、既に体力的退潮のプロセスに足を踏み入れつつある人間であることに思い至らないわけにはいかなかった。僕はたしかにまだ若くはあったけれど、それはかげりひとつない若さというのではなかった。そのことはほんの数週間前にかかりつけの歯科医から指摘されたばかりだった。歯についていえば、あともう擦り減ったり揺らいだり抜け落ちていくだけの過程にすぎないんです、とその医者は言った。そのことをよく覚えていて下さい。あなたにできることはそれを少しでも遅らせるだけです。防ぐことはできません。遅らせるだけのことです。

窓からさしこんでくる白い月の光の下で、妻はぐっすりと眠っていた。まるで死んだように寝息ひとつ立てなかった。だいたいいつも彼女はそんな風に眠る。僕は汗でぐっしょりと湿ったパジャマを脱いで、新しいショート・パンツとTシャツに着替えた。そしてテーブルの上にあったワイルド・ターキーのポケット瓶をポケットにつっこみ、妻を起こさないようにそっとドアを開けて外に出た。夜の大気はひやりとして、地表には湿った草の葉の匂いがもやのように漂っていた。まるで巨大な空洞の底に立っているみたいな気がした。月光が花弁や大きな葉や芝生の庭を昼間とはまったく違った色に染めていた。フィルターをとおして世界を眺めたときのように、あるものは実際以上に鮮かに輝き、またあるものは生気を失った灰色の中に沈みこんでいた。

眠くはなかった。そもそもの最初から眠りなんて存在しなかったみたいに、僕の意識は冷えた陶器にも似て覚醒していた。僕はこれといった目的もなくコッテージのまわりをゆっくり一周してみた。あたりはしんとして、波の音の他には耳に届くものはなかった。その波の音も立ちどまって耳を澄まさなければうまく聞きとれないという程度のものだった。僕は立ちどまってポケットからウィスキーの瓶をとりだし、そのまま口にふくんで飲んだ。

コッテージを一周してしまうと、僕は月光の下では氷のはった丸い池のように見える芝生の庭のまん中を一直線に横切ってみた。そして腰の高さほどの丈の植えこみに沿って歩き、小さな階段を上ってトロピカル・スタイルのガーデン・バーに出た。僕は毎晩ここでウォッカ・トニックを二杯ずつ飲むことにしていたが、もちろんもうバーは閉まっていた。あずま屋風のカクテル・スタンドにはシャッターが下りて、庭に一ダースほどの丸テーブルがちらばっているだけだ。まっすぐにたたまれたテーブルのパラソルは、まるで翼をやすめた巨大な夜の鳥のように見えた。

車椅子に座った青年はそんなテーブルの上に片肘をついて、一人で海を見ていた。車椅子の金属がたっぷりと月光を吸いこんで、氷のような白さに光っていた。それは遠くから見ると、まるで夜のためにしつらえられた特殊な目的を持つ精密な金属機械に見えた。車輪のスポークは異様に進化した獣の歯のように、闇の中に不吉な光を放っていた。

彼がひとりぼっちでいるところを目にしたのはそれがはじめてだった。僕はごく自然に彼の姿と彼の母親の姿を一体化して考えるようになっていたので、彼が一人っきりでいるのを見るのはなんだかとても妙な気分だった。そういう光景を目撃したこと自体が礼を失した行為であるような気さえしたほどだった。彼はいつもと同じオレンジ色のアロハ・シャツを着て、いつもと同じ綿のズボンをはいていた。そして身うごきひとつせず、そのままの姿勢でじっと海を見ていた。

僕はどうするべきか少しまよったが、決心して、なるべく彼をおどかさないように、彼の視野に入るような方向から、ゆっくりとそちらの方に歩いていった。僕が二、三メートルの距離にまで近づくと、彼はこちらに顔を向けて、いつもと同じように会釈した。

「こんばんは」と僕は夜のしずけさにあわせて小さな声で言った。

「こんばんは」と彼も小さな声であいさつをかえした。

僕は彼の隣りのテーブルのガーデン・チェアを引いて、そこに腰を下ろした。そして彼が眺めているのとだいたい同じ方向に目をやった。海岸には半分に割ったマフィンみたいにぎざぎざに尖った丈の低い岩場がずっと広がっていて、そこにあまり大きくない波が寄せていた。波は岩のあいだできゃしゃなフリルのように白くはじけ、そして引いていった。ときどきそのフリルのかたちが微妙に変化したが、波の大きさそのものはものさしで測ったみたいにいつも同じだった。時計の振り子のように単調で物憂く、これといった特徴のない波だった。

「今日は海岸で会いませんでしたね」と僕はテーブルごしに話しかけてみた。

彼は胸の上で手を組み、僕の方を向いた。

「ええ、そうです」と彼は言った。

それからしばらく、彼は黙って静かに息をしていた。まるで眠っているような息づかいだった。

「今日はずっと部屋で休んでいたんです」と彼は言った。「実は、母の具合がよくなかったものですから。でも具合といっても、体の具合が、その、具体的に悪いっていうわけじゃないんです。要するに、精神的なものです。神経的というのかな、神経が立つんです」

彼はそう言ってから、右手の中指の腹で何度か頰をこすった。夜中だというのに、彼の頰には髭ののびた形跡はなく、陶器のようになめらかでつるりとしていた。

「でも、もう大丈夫です。母は今はもうぐっすりと眠っています。彼女の場合は僕の脚と違ってひと晩眠ればなおるんです。もちろん完治するわけじゃありませんが、一応は、現象的にはなおるんです。朝になれば元気になります」

彼は二十秒だか三十秒だか一分だか、そのまま口をつぐんでいた。僕はテーブルの下で組んでいた脚をほどき、引きあげどきを見はからった。僕はしょっちゅう引きあげどきを見はからって生活しているような気がする。たぶん性格的なものなのだろう。しかし僕が口を開こうとする前に、彼がまたしゃべりはじめた。

「しかしこういう話は退屈でしょう？」と彼は言った。「健康な人に病気の話をするというのはたしかに野暮っていうものでしょうね」

そんなことはない、と僕は言った。何から何まで一分の隙もなく健康な人間なんてどこにもいないのだ、と僕は言った。僕がそう言うと、彼は軽く肯いた。

「神経の病気の現われ方というのは千差万別なんです。原因はひとつで、結果が無数です。ちょうど地震と同じですね。放出されるエネルギーの質は同じですが、それがでてくる場所次第でがらりとその地上レベルでの現象は変ってきます。島がひとつ生まれることもあれば、島がひとつ沈んでしまうこともある」

彼はあくびをした。そしてあくびをし終ってから「失礼」と言った。

彼はとても疲れていて、今にも眠りこんでしまいそうに見えたので、僕は彼にもうそろそろ部屋に戻ってやすんだ方が良いのではないかと言ってみた。

「いや、気にしないで下さい」と彼は言った。「眠そうに見えるかもしれないけれど、ぜんぜん眠くはないんです。僕は一日に四時間くらい眠れば事足りるし、それも夜明けの頃にしか眠りません。だからこの時間にはだいたいいつもここにいて、ぼんやりしているんです。気にしないで」

彼はそう言うとテーブルの上のチンザノの灰皿を手にとって、それを何かとても大事なもののようにじっと眺めていた。

「母の場合はなんていうか——神経が立ってくると、顔の左半分がだんだんこわばりついてくるんです。冷たくなって——口とか目とかがうまく動かなくなるわけです。奇妙といえば奇妙な症状ですね。しかしそういうのを必要以上に深刻にとらないで下さい。それがべつに何か致命的なものに直接つながるっていうわけでもないんです。ただの症状です。眠ればなおります」

僕は肯いた。

「それからこの話を僕がしたことは母には黙っていて下さい。母は自分の体のことを話されるのをとても嫌がるんです」

もちろん、と僕は言った。「それに我々は明日の朝にはここを引きあげますから、お話をする機会ももうないと思いますよ」

彼はポケットからハンカチを出して鼻をかみ、そのハンカチをまたもとに戻すと、何かに思いをめぐらせるようにひとしきり目を閉じた。まるでどこかにでかけていって戻ってくるような沈黙がしばらくつづいた。たぶん彼の気持が上に行ったり下に行ったりしているのだろうと僕は想像した。

「それはさびしくなるな」と彼は言った。

「残念だけれど、仕事が待っているものですから」と僕は言った。

「でも引きあげる場所があるというのは良いもんですよ」

「引きあげる場所にもよるな」と僕は笑って言った。「あなたの方はここの滞在は長いんですか？」

「二週間――というところですね。正確に何日めになるのかはちょっとわからないけれど、おおよそそんなところです」

この先はまだ長いのか、と僕は訊ねてみた。

「さあてね」と彼は言って、首を軽く左右に振った。「一ヵ月になるか二ヵ月になるか、まあ成りゆき次第ってところでね。僕にはわからない――というのは僕が決めることじゃないからです。姉の主人がここのホテルの株をたくさん持っているもので、我々はとても安く泊っていられるんです。僕の父親はタイル会社を経営して、その姉の主人というのが事実上そのあとを継いでいます。本当のことを言うと、僕はその義理の兄をあまり好きじゃないんですが、そういう家族の選りごのみってできませんからね。それに僕が嫌っているからって、その兄が本当に嫌な人間かどうかはわからない。不健康な人間ってときどきすごく狭量になることがありますからね」

　彼はそう言って、また目を閉じた。

「とにかく彼はたくさんタイルを作ってます。マンションの玄関に使うような高級なタイルです。それからいろんな会社の株もいっぱい持っています。ひとことで言えばやり手です。僕の父もそうです。要するに我々は——僕の家族のことですが——健康な人間と不健康な人間、効率的な人間と非効率的な人間とにはっきりとわかれているんです。だからその結果として、それ以外の基準というものがどうもいまひとつ不明瞭になるきらいがあるんです。健康な方の人間がタイルを作ったり財産をうまく運用したり脱税したりして、不健康な方の人間を養うわけです。システムとしては、その機能性じたいとしては、なかなかうまくできてはいるんですがね」

　彼は笑って灰皿をテーブルの上に戻した。

「みんなが決めるわけです。あそこに一ヵ月いろ、ここに二ヵ月いろってね。そんなわけで、僕は雨ふりみたいにあっちに行ったりこっちに行ったりしているんです。正確にいうと僕と母ということですがね」

　そう言うと彼はまたあくびをして、海岸に目を向けた。あいかわらず波が機械的に岩に寄せていた。白い月は海のずっと上の方に浮かんでいた。僕は時間を知ろうと手首に目をやったが、腕時計はなかった。部屋のナイト・テーブルの上に置きわすれてきたのだ。

「家庭というものは何かしら奇妙なものです。それがうまくいっているにせよいっていないにせよね」、彼は目を細めて海を眺めながらそう言った。「あなたにも家庭がちゃんとあるんでしょう？」

あるともいえるしないとも言える、と僕は言った。子供のいない夫婦を家庭と呼んでいいのかどうか、僕にはよくわからない。それはせんじつめていけば、ある前提をもった契約にすぎないのだ。僕はそう言った。

「そうですね」と彼は言った。「家庭というものは本質的にはそれじたいが前提でなくてはならないんです。そうじゃないとシステムがうまく機能しない。そういう意味では僕はひとつの旗じるしのようなものです。たくさんのことが僕の動かない脚を中心として作動しているとも言えるんです。……僕の言っている意味わかりますか？」

わかると思う、と僕は言った。

「欠落はより高度な欠落に向い、過剰はより高度な過剰に向うというのが、そのシステムに対する僕のテーゼです。ドビッシーが、自分の歌劇の作曲が遅々として進まないことを表して、こんな風に言っています。『私は彼女の創りだす無《リヤン》を追いかけて明けくれていた』ってね。僕の仕事はいわばその無《リヤン》を創りだすことにあるんです」

彼はそれっきり黙って、再び彼の不眠症的な沈黙の中に沈みこんだ。時間だけはたっぷりとあった。彼の意識はずっと遠い辺境《リンボ》をさまよったあとで再び戻ってきたが、戻ってきたポイントは出発点とは少しずれているように見えた。

僕はポケットからウィスキーの瓶をひっぱりだしてテーブルの上に置いた。

「よかったら少し飲みませんか？　グラスはないけれど」と僕は言ってみた。

「いや」と言って、彼はほんの少し微笑んだ。「僕は酒を飲まないんです。水分って、ほとんど摂りません。でもおかまいなく一人で飲んで下さい。他人がお酒を飲んでいるのを見るのは嫌じゃありませんから」

僕は瓶から口の中にウィスキーを流しこんだ。胃の中があたたかくなり、僕はしばらく目をとじてそのあたたかさを味わった。彼はそんな僕の姿を隣りのテーブルからじっと眺めていた。

「ところで変なことをうかがうようだけれど、あなたはナイフにはくわしいですか？」と突然彼は言った。

「ナイフ？」と僕はびっくりして訊きかえした。

「ええ、ナイフ。ものを切るナイフ。ハンティング・ナイフです」

ハンティング・ナイフのことはよくわからないけれど、それほど大きくないキャンピング用のナイフやスイス・アーミー・ナイフなら使ったことはある、と僕は答えた。しかしもちろん、だからといってとくにナイフについてのくわしい知識があるわけではない。

僕がそう言うと、彼は手で車椅子の車輪をまわしながら、僕のテーブルにやってきて、テーブルごしに僕と向いあった。

「実はあなたにちょっと見ていただきたいナイフがあるんです。僕は二ヵ月ばかり前にこれを手に入れたんですが、僕はそういうものについての知識がからっきしないもので、誰かに見てもらってそれがどの程度のものなのか、だいたいでいいから教えてもらいたいと思ってたんです。もし御迷惑でなければ、ということですが」

迷惑なんかじゃない、と僕は言った。

彼はポケットから長さが十センチほどの木片をとりだして、それをテーブルの上に置いた。弓なりにとてもきれいなカーヴを描いたうす茶色の木片だった。テーブルに置くとこつんという固くて重みのある音がした。折りたたみ式の小型のハンティング・ナイフだった。小型とはいってもかなりの幅と厚みのあるなかなか立派なものだった。ハンティング・ナイフといえば、いちおう熊の皮をはげるくらいには作ってある。

「変な風には考えないで下さい」と青年は言った。「僕はこれを使って他人を傷つけたり、あるいは自分を傷つけたりするつもりはまるでないんです。ただ僕はある日突然、無性にナイフというものが欲しくなったんです。どうしてだかはわかりません。TVだか小説だかでナイフのことを見るか読むかしたのかもしれないけれど、それもよく覚えていません。でもなにしろ、自分のナイフがどうしてもほしくなったんです。それで知人に頼んでこれを買ってきてもらいました。スポーツ用品店で買ってきてもらったんです。母親にはもちろん内緒だし、その知人の他の誰も、僕がナイフをポケットに入れて持ち歩いていることなんて知りません。僕だけの秘密ってわけです」

彼はテーブルの上からナイフを拾いあげ、まるで微妙な重さをはかるみたいにしばらくそれを手のひらに載せていたが、やがてテーブル越しに僕に手わたした。ナイフはずっしりとした重みがあった。木片と見えたのは真鍮をくりぬいた表面に滑りどめのための木をはめこんであるだけのことで、本体のほとんどは真鍮と鋼鉄でできていた。だから見た目よりはずっと重みがあるのだ。

「刃をあけてみて下さい」と彼は言った。

僕はつかの上部にあいたくぼみを押して、重い刃を指でひっぱりだした。ぱちんという乾いた音がして、刃がしっかりと固定された。刃の全長は八センチから九センチというところだろう。刃が固定したナイフとして手にとってみると、僕はそのずしりとした重みにあらためておどろかされた。ただ単に重いというのではない。それはまるで手のひらにぴたりと吸いつくような奇妙な重みなのだ。少しいきおいよく手を上下左右に振ってみるとよくわかるのだが、その自重のせいで握りはほとんどぶれることもなく、手の動きに実によくついてきた。握りのカーヴも理想的といってよく、手にしっくりとなじんだ。ぐっと握り込んでも不自然な感触はまるでなく、指をあけてもそれはきちんと手の中に収まっていた。

刃のかたちも見事なものだった。ぶ厚い鋼鉄が小気味良く削りこまれ、腹の部分でしゃくりあげるようななめらかなラインを描き、背の部分ではそれが「突き」のための荒々しい切れこみ方をしていた。なまなましいブラッド・ガターもちゃんとついていた。

僕は月の光の下で丁寧にそれを点検し、ためしに何度か軽く振ってみた。デザインと使い心地がぴたりとあった高級品のナイフだった。たぶん切れ味も相当なものであるに違いない。

「いいナイフだな」と僕は言った。「くわしいことはわからないけれど、よく手になじむし、刃も見たところしっかりしているし、バランスもいいし、立派なもんです。あとはきちんと油を引いておけば一生ものですよ」

「ハンティング・ナイフにしちゃ小さすぎませんか?」

「これだけあれば十分です。大きすぎると意外に使いづらいもんですよ」

僕はナイフの刃をしゃきっという音とともに折りたたみ、彼にかえした。彼はもう一度その刃を出して、手の中でくるりと器用に一回転させた。まるで曲芸のようだけれど、握りが重いから、そういうことも可能なのだ。そしてまるで銃の照準をあわせるみたいに、片目を閉じて、月にむかってまっすぐにナイフをかざした。月の光が彼のナイフと彼の車椅子を、まるでやわらかな肉をつき破った白い骨のように、鮮かに浮かびあがらせていた。

「何かを切ってみていただけませんか？」と彼は言った。

とくに断る理由もなかったので、僕はそのナイフを手にとり、近くのやしの木の幹に何度かつき立て、樹皮を斜めにそぎおとした。それからプールのそばにあった発泡スチロールの安もののビート板をきれいにふたつに裂いた。素晴しい切れ味だった。

僕は目につくまわりのものをかたっぱしから切り裂きながら、ふと昼間ブイの上で会った太った白い女のことを思いだした。彼女の白くむくんだ肉体が、疲弊した雲のように空中に浮かんでいるような気がした。ブイや海や空やヘリコプターが遠近感を失ったひとつのカオスとして、僕のまわりをとりかこんでいた。僕は体のバランスを失わないように気をつけながら、静かにゆっくりと、ナイフを空中にすべらせた。夜の大気は油のようになめらかだった。僕の動きをさえぎるものは何もなかった。夜は深く、時はやわらかな汁気のある肉体のようだった。

「ときどき僕は夢を見ます」と青年は言った。彼の声はどこか深い穴の底から上がってくるもののように響いていた。「ちょうど僕の頭の内側から、記憶のやわらかな肉にむけて、ナイフがななめに突きささっている夢です。べつに痛くはありません。ただ突きささっているだけなんです。それからいろんなものがだんだん消え失せていって、あとにはナイフだけが白骨のように残るんです。そういう夢です」

この作品は一九八五年十月に小社より単行本として発売されました。
本書は一九八八年に刊行された文庫版を新デザインにしたものです。

回転木馬《かいてんもくば》のデッド・ヒート
村上春樹《むらかみはるき》

2004年10月15日第1刷発行
2025年4月23日第47刷発行

発行者──篠木和久
発行所──株式会社 講談社
東京都文京区音羽2-12-21 〒112-8001
電話 出版 (03) 5395-3510
販売 (03) 5395-5817
業務 (03) 5395-3615

Printed in Japan

講談社文庫
定価はカバーに
表示してあります

KODANSHA

デザイン─菊地信義
製版───株式会社KPSプロダクツ
印刷───株式会社KPSプロダクツ
製本───株式会社KPSプロダクツ

ISBN4-06-274906-8

講談社文庫刊行の辞

二十一世紀の到来を目睫に望みながら、われわれはいま、人類史上かつて例を見ない巨大な転換期をむかえようとしている。

世界も、日本も、激動の予兆に対する期待とおののきを内に蔵して、未知の時代に歩み入ろうとしている。このときにあたり、創業の人野間清治の「ナショナル・エデュケイター」への志を現代に甦らせようと意図して、われわれはここに古今の文芸作品はいうまでもなく、ひろく人文・社会・自然の諸科学から東西の名著を網羅する、新しい綜合文庫の発刊を決意した。

激動の転換期はまた断絶の時代である。われわれは戦後二十五年間の出版文化のありかたへの深い反省をこめて、この断絶の時代にあえて人間的な持続を求めようとする。いたずらに浮薄な商業主義のあだ花を追い求めることなく、長期にわたって良書に生命をあたえようとつとめるところにしか、今後の出版文化の真の繁栄はあり得ないと信じるからである。

同時にわれわれはこの綜合文庫の刊行を通じて、人文・社会・自然の諸科学が、結局人間の学にほかならないことを立証しようと願っている。かつて知識とは、「汝自身を知る」ことにつきていた。現代社会の瑣末な情報の氾濫のなかから、力強い知識の源泉を掘り起し、技術文明のただなかに、生きた人間の姿を復活させること。それこそわれわれの切なる希求である。

われわれは権威に盲従せず、俗流に媚びることなく、渾然一体となって日本の「草の根」をかたちづくる若く新しい世代の人々に、心をこめてこの新しい綜合文庫をおくり届けたい。それは知識の泉であるとともに感受性のふるさとであり、もっとも有機的に組織され、社会に開かれた万人のための大学をめざしている。大方の支援と協力を衷心より切望してやまない。

一九七一年七月

野間省一

宮部みゆき ステップファザー・ステップ〈新装版〉
宮子あずさ 看護婦が見つめた人間が死ぬということ
宮本昌孝 家康、死す (上)(下)
三津田信三 忌《い》館《かん》〈ホラー作家の棲む家〉
三津田信三 作者不詳 (上)(下)〈ミステリ作家の読む本〉
三津田信三 蛇《じゃ》棺《かん》葬《そう》
三津田信三 百《ひゃく》蛇《じゃ》堂《どう》〈怪談作家の語る話〉
三津田信三 厭魅《まじもの》の如き憑くもの
三津田信三 凶鳥《まがとり》の如き忌むもの
三津田信三 首無《くびなし》の如き祟るもの
三津田信三 山魔《やまんま》の如き嗤《わら》うもの
三津田信三 水魑《みづち》の如き沈むもの
三津田信三 密室《ひめむろ》の如き籠《こも》るもの
三津田信三 生霊《いきだま》の如き重《だぶ》るもの
三津田信三 幽女《ゆうじょ》の如き怨むもの
三津田信三 碆霊《はえだま》の如き祀るもの
三津田信三 魔偶《まぐう》の如き齎《もたら》すもの
三津田信三 忌名《いな》の如き贄《にえ》るもの
三津田信三 シェルター 終末の殺人

三津田信三 ついてくるもの
三津田信三 誰かの家
三津田信三 忌《い》物《ぶつ》堂《どう》鬼《き》談《だん》
道尾秀介 カラスの親指〈by rule of CROW's thumb〉
道尾秀介 カエルの小指〈a murder of crows〉
道尾秀介 水の柩
深《み》木《き》章《あき》子《こ》 鬼畜の家
湊かなえ リバース
宮内悠介 彼女がエスパーだったころ
宮内悠介 偶然の聖地
宮乃《みやの》崎桜子《さきさくらこ》 綺《き》羅《ら》の皇女《ひめみこ》(1)
宮乃崎桜子 綺羅の皇女(2)
三國青葉 損料屋見鬼《けんき》控え 1
三國青葉 損料屋見鬼控え 2
三國青葉 損料屋見鬼控え 3
三國青葉 福猫屋〈お佐和のねこだすけ〉
三國青葉 福猫屋〈お佐和のねこかし〉
三國青葉 福猫屋〈お佐和のねこわずらい〉
三國青葉 母上は別《べっ》式《しき》女《め》

三國青葉 母上は別式女 2
宮西真冬 誰かが見ている
宮西真冬 首の鎖
宮西真冬 友達未遂
宮西真冬 毎日世界が生きづらい
南杏子 希望のステージ
嶺里俊介 だいたい本当の奇妙な話
嶺里俊介 ちょっと奇妙な怖い話
溝口敦 喰うか喰われるか〈私の山口組体験〉
三谷幸喜 松野大介 三谷幸喜 創作を語る
三嶋龍朗 協力 小泉徳宏 小説 父と僕の終わらない歌
村上龍 愛と幻想のファシズム (上)(下)
村上龍 村上龍料理小説集
村上龍 新装版 限りなく透明に近いブルー
村上龍 新装版 コインロッカー・ベイビーズ
村上龍 歌うクジラ (上)(下)
向田邦子 新装版 眠る盃
向田邦子 新装版 夜中の薔薇
村上春樹 風の歌を聴け

村上春樹　1973年のピンボール
村上春樹　羊をめぐる冒険(上)(下)
村上春樹　カンガルー日和
村上春樹　回転木馬のデッド・ヒート
村上春樹　ノルウェイの森(上)(下)
村上春樹　ダンス・ダンス・ダンス(上)(下)
村上春樹　遠い太鼓
村上春樹　国境の南、太陽の西
村上春樹　やがて哀しき外国語
村上春樹　アンダーグラウンド
村上春樹　スプートニクの恋人
村上春樹　アフターダーク
村上春樹／佐々木マキ絵　羊男のクリスマス
村上春樹／佐々木マキ絵　ふしぎな図書館
村上春樹／糸井重里　夢で会いましょう
村上春樹・文／安西水丸・絵　ふわふわ
U・K・ル＝グウィン／村上春樹訳　空飛び猫
U・K・ル＝グウィン／村上春樹訳　帰ってきた空飛び猫
U・K・ル＝グウィン／村上春樹訳　素晴らしいアレキサンダーと、空飛び猫たち
U・K・ル＝グウィン／村上春樹訳　空を駆けるジェーン
T・ファリッシュ著／B・ルート絵／村上春樹訳　ポテト・スープが大好きな猫
村山由佳　天翔る
睦月影郎　密通妻
睦月影郎　快楽アクアリウム
向井万起男　渡る世間は「数字」だらけ
村田沙耶香　授乳
村田沙耶香　マウス
村田沙耶香　星が吸う水
村田沙耶香　殺人出産
村瀬秀信　気がつけばチェーン店ばかりでメシを食べている
村瀬秀信　それでも気がつけばチェーン店ばかりでメシを食べている
村瀬秀信　地方に行っても気がつけばチェーン店ばかりでメシを食べている
虫眼鏡　東海オンエアの動画が6.4倍楽しくなる本〈虫眼鏡の概要欄　クロニクル〉
森村誠一　悪道
森村誠一　悪道　西国謀反
森村誠一　悪道　御三家の刺客
森村誠一　悪道　五右衛門の復讐
森村誠一　悪道　最後の密命
森村誠一　ねこの証明
毛利恒之　月光の夏
森博嗣　すべてがFになる〈THE PERFECT INSIDER〉
森博嗣　冷たい密室と博士たち〈DOCTORS IN ISOLATED ROOM〉
森博嗣　笑わない数学者〈MATHEMATICAL GOODBYE〉
森博嗣　詩的私的ジャック〈JACK THE POETICAL PRIVATE〉
森博嗣　封印再度〈WHO INSIDE〉
森博嗣　幻惑の死と使途〈ILLUSION ACTS LIKE MAGIC〉
森博嗣　夏のレプリカ〈REPLACEABLE SUMMER〉
森博嗣　今はもうない〈SWITCH BACK〉
森博嗣　数奇にして模型〈NUMERICAL MODELS〉
森博嗣　有限と微小のパン〈THE PERFECT OUTSIDER〉
森博嗣　黒猫の三角〈Delta in the Darkness〉
森博嗣　人形式モナリザ〈Shape of Things Human〉
森博嗣　月は幽咽のデバイス〈The Sound Walks When the Moon Talks〉
森博嗣　夢・出逢い・魔性〈You May Die in My Show〉
森博嗣　魔剣天翔〈Cockpit on knife Edge〉
森博嗣　恋恋蓮歩の演習〈A Sea of Deceits〉
森博嗣　六人の超音波科学者〈Six Supersonic Scientists〉

森 博嗣 捩れ屋敷の利鈍 〈The Riddle in Torsional Nest〉
森 博嗣 朽ちる散る落ちる 〈Rot off and Drop away〉
森 博嗣 赤 緑 黒 白 〈Red Green Black and White〉
森 博嗣 四季 春〜冬
森 博嗣 φ《ファイ》は壊れたね 〈PATH CONNECTED φ BROKE〉
森 博嗣 θ《シータ》は遊んでくれたよ 〈ANOTHER PLAYMATE θ〉
森 博嗣 τ《タウ》になるまで待って 〈PLEASE STAY UNTIL τ〉
森 博嗣 ε《イプシロン》に誓って 〈SWEARING ON SOLEMN ε〉
森 博嗣 λ《ラムダ》に歯がない 〈λ HAS NO TEETH〉
森 博嗣 η《イータ》なのに夢のよう 〈DREAMILY IN SPITE OF η〉
森 博嗣 目薬α《アルファ》で殺菌します 〈DISINFECTANT α FOR THE EYES〉
森 博嗣 ジグβ《ベータ》は神ですか 〈JIG β KNOWS HEAVEN〉
森 博嗣 キウイγ《ガンマ》は時計仕掛け 〈KIWI γ IN CLOCKWORK〉
森 博嗣 χ《カイ》の悲劇 〈THE TRAGEDY OF χ〉
森 博嗣 ψ《プサイ》の悲劇 〈THE TRAGEDY OF ψ〉
森 博嗣 イナイ×イナイ 〈PEEKABOO〉
森 博嗣 キラレ×キラレ 〈CUTTHROAT〉
森 博嗣 タカイ×タカイ 〈CRUCIFIXION〉
森 博嗣 ムカシ×ムカシ 〈REMINISCENCE〉

森 博嗣 サイタ×サイタ 〈EXPLOSIVE〉
森 博嗣 ダマシ×ダマシ 〈SWINDLER〉
森 博嗣 女王の百年密室 〈GOD SAVE THE QUEEN〉
森 博嗣 迷宮百年の睡魔 〈LABYRINTH IN ARM OF MORPHEUS〉
森 博嗣 赤目姫の潮解 〈LADY SCARLET EYES AND HER DELIQUESCENCE〉
森 博嗣 馬鹿と嘘の弓 〈Fool Lie Bow〉
森 博嗣 歌の終わりは海 〈Song End Sea〉
森 博嗣 まどろみ消去 〈MISSING UNDER THE MISTLETOE〉
森 博嗣 地球儀のスライス 〈A SLICE OF TERRESTRIAL GLOBE〉
森 博嗣 レタス・フライ 〈Lettuce Fry〉
森 博嗣 僕は秋子に借りがある I'm in Debt to Akiko 〈森博嗣自選短編集〉
森 博嗣 どちらかが魔女 Which is the Witch? 〈森博嗣シリーズ短編集〉
森 博嗣 喜嶋先生の静かな世界 〈The Silent World of Dr.Kishima〉
森 博嗣 そして二人だけになった 〈Until Death Do Us Part〉
森 博嗣 つぶやきのクリーム 〈The cream of the notes〉
森 博嗣 ツンドラモンスーン 〈The cream of the notes 4〉
森 博嗣 つぼみ茸《きのこ》ムース 〈The cream of the notes 5〉
森 博嗣 つぶさにミルフィーユ 〈The cream of the notes 6〉
森 博嗣 月夜のサラサーテ 〈The cream of the notes 7〉

森 博嗣 つんつんブラザーズ 〈The cream of the notes 8〉
森 博嗣 ツベルクリンムーチョ 〈The cream of the notes 9〉
森 博嗣 追懐のコヨーテ 〈The cream of the notes 10〉
森 博嗣 積み木シンドローム 〈The cream of the notes 11〉
森 博嗣 妻のオンパレード 〈The cream of the notes 12〉
森 博嗣 つむじ風のスープ 〈The cream of the notes 13〉
森 博嗣 カクレカラクリ 〈An Automaton in Long Sleep〉
森 博嗣 DOG&DOLL
森 博嗣 森には森の風が吹く 〈My wind blows in my forest〉
森 博嗣 アンチ整理術 〈Anti-Organizing Life〉
萩尾望都 森博嗣 原作 トーマの心臓 〈Lost heart for Thoma〉
諸田玲子 森家の討ち入り
森 達也 すべての戦争は自衛から始まる
本谷有希子 腑抜けども、悲しみの愛を見せろ
本谷有希子 江利子と絶対 〈本谷有希子文学大全集〉
本谷有希子 あの子の考えることは変
本谷有希子 嵐のピクニック
本谷有希子 自分を好きになる方法
本谷有希子 異類婚姻譚

本谷有希子 静かに、ねぇ、静かに
茂木健一郎 「赤毛のアン」に学ぶ幸福《しあわせ》になる方法
〈偏差値78のAV男優が考える〉
森林原人 セックス幸福論
桃戸ハル編・著 5分後に意外な結末〈ベスト・セレクション〉
桃戸ハル編・著 5分後に意外な結末〈ベスト・セレクション 黒の巻・白の巻〉
桃戸ハル編・著 5分後に意外な結末〈ベスト・セレクション 心震える赤の巻〉
桃戸ハル編・著 5分後に意外な結末〈ベスト・セレクション 心弾ける橙の巻〉
桃戸ハル編・著 5分後に意外な結末〈ベスト・セレクション 金の巻〉
桃戸ハル編・著 5分後に意外な結末〈ベスト・セレクション 銀の巻〉
森 功 高倉 健〈隠し続けた七つの顔と「謎の養女」〉
森 功 地面師〈他人の土地を売り飛ばす闇の詐欺集団〉
望月麻衣 京都船岡山アストロロジー
望月麻衣 京都船岡山アストロロジー2〈星と創作のアンサンブル〉
望月麻衣 京都船岡山アストロロジー3〈恋のハウスと檸檬色の憂鬱〉
望月麻衣 京都船岡山アストロロジー4〈月の心と惑星回帰〉
桃《もも》野《の》雑派《ざっぱ》 老 虎 残 夢
桃野雑派 星くずの殺人
森沢明夫 本が紡いだ五つの奇跡
山田風太郎 甲賀忍法帖〈山田風太郎忍法帖①〉
山田風太郎 伊賀忍法帖〈山田風太郎忍法帖③〉
山田風太郎 忍法八犬伝〈山田風太郎忍法帖④〉
山田風太郎 風来忍法帖〈山田風太郎忍法帖⑪〉
山田風太郎 新装版 戦中派不戦日記
山田正紀 大江戸ミッション・インポッシブル〈顔役を消せ〉
山田正紀 大江戸ミッション・インポッシブル〈幽霊船を奪え〉
山田詠美 晩年の子供
山田詠美 A《エイ》2《トゥ》Z《ズイ》
山田詠美 珠玉の短編
柳家小三治 ま・く・ら
柳家小三治 もひとつ ま・く・ら
柳家小三治 バ・イ・ク
山口雅也 落語魅《ミ》捨《ステ》理《リ》全集〈坊主の愉しみ〉
山本一力 深川黄表紙掛取り帖
山本一力 牡 丹 酒〈深川黄表紙掛取り帖(二)〉
山本一力 ジョン・マン1 波濤編
山本一力 ジョン・マン2 大洋編
山本一力 ジョン・マン3 望郷編
山本一力 ジョン・マン4 青雲編
山本一力 ジョン・マン5 立志編
椰月美智子 十 二 歳
椰月美智子 しずかな日々
椰月美智子 ガミガミ女とスーダラ男
椰月美智子 恋 愛 小 説
柳 広司 キング&クイーン
柳 広司 怪 談
柳 広司 ナイト&シャドウ
柳 広司 幻 影 城 市
柳 広司 風神雷神 (上)(下)
薬丸 岳 闇 の 底
薬丸 岳 虚 夢
薬丸 岳 刑事のまなざし
薬丸 岳 逃 走
薬丸 岳 ハードラック
薬丸 岳 その鏡は嘘をつく
薬丸 岳 刑 事 の 約 束
薬丸 岳 Aではない君と
薬丸 岳 ガーディアン

講談社文庫　目録

2025年3月14日現在